D0680143

MON PAYS RÉINVENTÉ

DU MÊME AUTEUR

LE PLAN INFINI, Fayard, 1994.
LA MAISON AUX ESPRITS, Fayard, 1994.
EVA LUNA, Fayard, 1995.
PAULA, Fayard, 1997.
LES CONTES D'EVA LUNA, LGF, 1998.
D'AMOUR ET D'OMBRE, LGF, 1998.
FILLE DU DESTIN, Grasset, 2000.
PORTRAIT SÉPIA, Grasset, 2001.
APHRODITE, *Contes, recettes et autres aphrodisiaques*, Grasset, 2001.
LA CITÉ DES DIEUX SAUVAGES, Grasset, 2002.

ISABEL ALLENDE

MON PAYS RÉINVENTÉ

Traduit de l'espagnol (Chili)
par
ALEX ET NELLY LHERMILLIER

BERNARD GRASSET
PARIS

L'édition originale de cet ouvrage a été publiée par Areté/Groupe Random House Mondadori, en 2003, sous le titre :

MI PAíS IVENTADO

« ... pour une raison ou une autre, je suis un triste exilé. D'une manière ou d'une autre, je voyage avec notre territoire, et avec moi continuent de vivre, là-bas, très loin, les essences longitudinales de ma patrie. »

Pablo Neruda, 1972

Quelques mots pour commencer

Je suis née au milieu de l'épaisse fumée et de la mortalité de la Seconde Guerre mondiale, et la plus grande partie de ma jeunesse s'est passée à attendre que la planète vole en éclats lorsque quelqu'un appuierait distraitement sur un bouton et que les bombes atomiques exploseraient. Personne ne s'attendait à vivre très longtemps ; nous étions pressés, dévorant chaque instant avant que l'apocalypse ne nous surprenne, aussi n'avions-nous pas le temps d'examiner notre nombril et de prendre des notes, comme c'est l'habitude aujourd'hui. En plus, j'ai grandi à Santiago du Chili, où toute tendance naturelle à la contemplation de soi est étouffée dans l'œuf. « Crevette qui s'endort est emportée par le courant », tel est le dicton qui définit la façon dont on vit dans cette ville. Dans d'autres cultures plus sophistiquées, comme celle de Buenos Aires ou de New York, la visite chez le psychologue était une activité normale, et s'en abstenir, regardé comme une preuve d'ignorance ou de simplicité d'esprit. Au Chili, néanmoins, seuls les fous dangereux le faisaient, et uniquement dans une camisole de force ; mais cela a changé dans les années soixante-dix, avec l'arrivée de la révolution sexuelle. Peut-être y a-t-il un rapport... Dans ma famille, personne n'a jamais eu recours à une psychothérapie, bien que plusieurs d'entre nous soient des cas d'étude avérés, car l'idée de confier des affaires intimes à un inconnu, qu'en plus on payait pour qu'il écoute, paraissait absurde ; pour cela, il y avait les curés et les tantes. J'ai peu d'entraînement pour la réflexion, mais au cours de ces dernières semaines je me suis surprise à penser à mon passé avec une fréquence qui ne peut s'interpréter que comme un signe de sénilité précoce.

Deux événements récents ont déclenché cette épidémie de souvenirs. Le premier fut une observation inopinée de mon petit-fils Alejandro, lequel me surprit devant le miroir en train de scruter la carte de mes rides et me dit, compatissant : « T'inquiète pas, ma vieille, tu as encore au moins trois ans devant toi. » J'ai alors décidé que l'heure était venue de jeter un autre regard sur ma vie, afin de songer à la façon dont je souhaite conduire ces trois années qui m'ont été si généreusement accordées. L'autre événement fut une question d'un inconnu lors d'une conférence d'écrivains de voyage qu'il me revint d'inaugurer.

Je dois préciser que je n'appartiens pas à cet étrange groupe de personnes qui part en voyage dans des contrées lointaines, survit aux bactéries et publie ensuite des livres pour convaincre les innocents de marcher sur ses traces. Voyager représente un effort considérable, surtout dans des endroits où il n'y a pas où se loger. Mes vacances idéales, je les passe assise sous un parasol dans mon jardin, à lire des livres de voyages aventureux que je ne ferai jamais, à moins que ce ne soit pour échapper à quelque chose. Je viens de ce qu'on appelle le Tiers Monde (quel est le deuxième ?) et j'ai dû mettre le grappin sur un mari pour vivre légalement dans le premier ; je n'ai aucune intention de revenir au sous-développement sans une bonne raison. Cependant, et à mon grand regret, j'ai déambulé sur cinq continents et, en plus, le destin a voulu que je sois une exilée volontaire et une émigrée. J'ai quelques notions en matière de voyages, et c'est pourquoi on m'avait demandé d'intervenir dans cette conférence.

A la fin de mon bref discours, une main s'est levée dans la salle et un jeune homme m'a demandé quel rôle jouait la nostalgie dans mes romans. Pendant un moment je suis restée coite. Nostalgie... d'après le dictionnaire, c'est *la tristesse et l'état de langueur causés par l'éloignement du pays natal, la mélancolie provoquée par le souvenir d'un bonheur perdu.* La question m'a coupé le souffle, parce que, jusqu'à cet instant, je n'avais jamais pris conscience que l'écriture était pour moi un exercice incessant de regret. Pendant presque toute ma vie j'ai été une étrangère, condition que j'accepte car je n'ai pas d'alternative. Plusieurs fois je me suis vue obligée de partir, en brisant des liens et en laissant tout derrière moi, pour recommencer ma vie ailleurs ; j'ai voyagé sur plus de chemins qu'il ne m'est possible de me souvenir. J'ai si souvent dit adieu que mes racines se sont desséchées, et il m'a fallu en créer d'autres qui, faute d'un lieu géographique où se fixer, l'ont fait dans la mémoire ; mais attention ! la mémoire est un labyrinthe où guettent des minotaures.

Si l'on m'avait demandé il y a peu d'où je suis, j'aurais répliqué, sans l'ombre d'une hésitation, de nulle part, ou bien que je suis latino-américaine, ou peut-être chilienne de cœur. Mais aujourd'hui, je dis que je suis américaine, non seulement parce que c'est ce que déclare mon passeport, ou parce que ce terme inclut toute l'Amérique du nord au sud, ou parce que mon mari, mon fils, mes petits-enfants, la plupart de mes amis, mes livres et ma maison se trouvent dans le nord de la Californie, mais parce qu'il n'y a pas si longtemps un attentat terroriste a détruit les tours jumelles du World Trade Center, et que dès cet instant un certain nombre de choses ont changé. On ne peut rester neutre dans une crise.

Cette tragédie m'a confrontée à mon sentiment d'identité ; je me rends compte que je fais aujourd'hui partie de la population nord-américaine de toutes les couleurs, de même qu'avant j'étais chilienne. Aux États-Unis, je ne me sens plus aliénée. En voyant s'effondrer les tours, j'ai eu la sensation d'avoir vécu ce cauchemar de manière à peu près identique. Par une effroyable coïncidence – karma historique –, les avions détournés aux États-Unis se sont écrasés contre leurs objectifs un mardi 11 septembre, exactement le même jour de la semaine et du mois – et presque à la même heure de la matinée – où avait eu lieu le coup d'Etat militaire au Chili, en 1973. Ce dernier fut un acte terroriste orchestré par la CIA contre une démocratie. Les images des édifices en train de brûler, la fumée, les flammes et la panique sont similaires dans les deux scénarios. Ce lointain mardi de 1973, ma vie fut brisée, plus rien n'est redevenu comme avant, j'ai perdu mon pays. Ce mardi fatidique de 2001 fut aussi un moment décisif, rien ne redeviendra comme avant, mais moi, j'ai gagné un pays.

Ces deux questions, celle de mon petit-fils et celle de cet inconnu à la conférence, ont donné naissance à ce livre, dont je ne sais pas encore très bien où il va ; pour le moment je divague, comme toujours divaguent les souvenirs, mais je vous demande de m'accompagner encore un peu.

*

J'écris ces pages dans un grenier accroché au flanc d'une colline abrupte, surveillée par une centaine de chênes tordus, regardant la baie de San Francisco, mais je viens d'ailleurs. La nostalgie est mon vice. La nostalgie est un sentiment mélancolique et un peu ridicule, comme la tendresse ; il paraît presque impossible d'aborder le sujet sans tomber dans la sentimentalité, mais je vais essayer. Si je glisse et tombe dans le mauvais goût, ayez la certitude que je me relèverai quelques lignes plus loin. A mon âge – je suis aussi vieille que la pénicilline synthétique –, on commence à se souvenir de choses qui s'étaient effacées durant un demi-siècle. Je n'ai pas pensé à mon enfance ou mon adolescence pendant des décennies ; en réalité, ces périodes du lointain passé m'importaient si peu que lorsque je regardais les albums de photographies de ma mère je ne reconnaissais personne, sauf une chienne bouledogue qui portait le nom peu probable de Pelvina López-Pun ; et la seule raison qui a fait qu'elle est restée gravée dans ma mémoire, c'est que nous nous ressemblions de manière frappante. Sur une photo où nous sommes toutes les deux – je n'avais alors que quelques mois –, ma mère a dû indiquer qui était qui à l'aide d'une flèche. Ma mémoire déplorable vient sûrement de ce que ces temps ne furent pas particulièrement heureux, mais je suppose qu'il en est ainsi pour la plupart des mortels. L'enfance heureuse est un mythe ; pour le comprendre, il suffit de jeter un coup d'œil aux contes écrits pour les enfants. Un loup y mange la grand-mère, puis arrive un bûcheron qui ouvre le pauvre animal de bas en haut avec son couteau, sort la petite vieille vivante et entière, emplit la panse avec des pierres et recoud aussitôt la peau avec du fil et une aiguille ; cela donne une telle soif au loup qu'il part en courant boire à la rivière ; entraîné au fond par le poids des pierres, il se noie. Je me demande pourquoi le bûcheron ne l'a pas supprimé de manière plus simple et plus humaine ? Certainement parce que rien n'est simple ni humain dans l'enfance. En ce temps-là, l'expression « enfants abusés » n'existait pas, on supposait que la meilleure façon d'éduquer les gosses, c'était avec la ceinture dans une main et la croix dans l'autre, de même qu'était tenu pour acquis le droit de l'homme à secouer sa femme si sa soupe arrivait froide sur la table. Avant que les psychologues et les autorités ne s'en mêlent, personne ne doutait des effets bénéfiques d'une bonne raclée. On ne me frappait pas comme mes frères, mais je vivais tout de même dans la peur, comme tous les autres enfants autour de moi.

Dans mon cas, l'adversité naturelle à l'enfance était aggravée par un tas de complexes tellement emmêlés que je ne peux même plus les débrouiller, mais par chance ils ne m'ont pas laissé de blessures que le temps n'ait guéries. Une fois, j'ai entendu une écrivaine afro-américaine célèbre dire que depuis son enfance elle s'était sentie étrangère dans sa famille et son pays ; elle ajouta que presque tous les auteurs vivent cette expérience, même s'ils ne quittent jamais leur ville natale. C'est une condition inhérente à ce travail, affirma-t-elle ; sans le trouble provoqué par le sentiment d'être différent, il n'y aurait nulle nécessité d'écrire. L'écriture, en fin de compte, revient à essayer de comprendre sa propre condition et d'éclairer la confusion de l'existence ; ces inquiétudes ne tourmentent pas les gens normaux, seulement les non-conformistes chroniques, dont beaucoup finissent par devenir écrivains après avoir échoué dans d'autres métiers. Cette théorie m'a enlevé un poids des épaules : je ne suis pas un monstre, il y en a d'autres comme moi.

Je n'ai jamais été à ma place nulle part, pas plus dans la famille que dans la classe sociale et la religion qui m'échurent en partage ; je n'ai pas appartenu aux bandes qui faisaient de la bicyclette dans la rue ; mes cousins ne m'incluaient pas dans leurs jeux ; j'étais la fille la moins populaire de l'école, et ensuite je fus longtemps celle qui dansait le moins lors des fêtes, plus à cause de ma timidité que de ma laideur, c'est du moins ce que je préfère supposer. Je m'enfermais dans ma fierté, faisant comme si tout ça m'était égal, mais j'aurais vendu mon âme au diable pour faire partie du groupe, dans le cas où Satan se serait présenté avec une proposition aussi alléchante. La racine de mon problème a toujours été la même : l'incapacité d'accepter ce qui paraît naturel aux autres et une tendance irrésistible à émettre des opinions que personne ne veut entendre, ce qui a fait fuir plus d'un prétendant potentiel. (Je ne veux pas me vanter, ils ne furent jamais nombreux.) Plus tard, pendant mes années de journaliste, la curiosité et l'audace eurent quelques avantages. Pour la première fois, j'appartins à une communauté, pour la première fois je m'arrogeai le droit de poser des questions indiscrètes et de divulguer mes idées, mais cela prit fin brutalement avec le coup d'Etat militaire de 1973, qui déchaîna des forces irrépressibles. Du jour au lendemain je devins une étrangère sur ma propre terre et, finalement, je dus partir, car je ne pouvais vivre et élever mes enfants dans un pays où régnait la peur et où il n'y avait pas de place pour des dissidents de mon espèce. En ce temps-là, la curiosité et l'audace étaient interdites par décret. Hors du Chili, j'attendis des années que la démocratie fût restaurée pour rentrer au pays, mais lorsque cela arriva je ne le fis pas, parce que j'avais épousé un Américain et vivais près de San Francisco. Je n'ai plus résidé au Chili, où j'ai en fait passé moins de la moitié de ma vie, bien que j'y retourne fréquemment, mais pour répondre à la question de cet inconnu sur la nostalgie, je dois me référer presque exclusivement aux années que j'y ai passées. Et pour cela je dois parler de ma famille, car patrie et tribu se confondent dans mon esprit.

Pays aux essences longitudinales

Commençons par le commencement, le Chili, cette terre lointaine que bien peu de gens sont capables de situer sur la carte du monde, car c'est le plus loin qu'on puisse aller sans tomber de la planète. *Pourquoi ne pas vendre le Chili et acheter quelque chose plus près de Paris... ?* demandait l'un de nos écrivains. Personne, aussi perdu soit-il, n'y passe par hasard, encore que de nombreux visiteurs, tombés amoureux de la terre et de ses gens, décident de s'y installer pour toujours. C'est le bout de tous les chemins, une lance au sud du sud de l'Amérique, quatre mille trois cents kilomètres de montagnes, de vallées, de lacs et de mer. C'est ainsi que la décrit Neruda dans son ardente poésie :

Nuit, neige et sable modèlent la forme
de ma patrie déliée,
tout le silence est dans sa longue ligne,
toute l'écume sort de sa barbe marine,
tout le charbon l'emplit de mystérieux baisers.

Ce svelte territoire est semblable à une île séparée du reste du continent : au nord, par le désert d'Atacama, le plus aride au monde, comme ses habitants se plaisent à le dire, bien que ce soit sûrement faux, car au printemps une partie de ce paysage lunaire se couvre d'un manteau de fleurs, telle une merveilleuse peinture de Monet ; à l'est, par la cordillère des Andes, formidable massif de roche et de neiges éternelles ; à l'ouest, par les côtes abruptes de l'océan Pacifique ; tout en bas, par le solitaire Antarctique. Ce pays à la topographie tourmentée et aux climats variés, parsemé de capricieux obstacles et secoué par les soupirs de centaines de volcans, qui existe comme un miracle géologique entre les hauteurs de la cordillère et les profondeurs marines, est uni d'un bout à l'autre par l'obstiné sentiment de nation de ses habitants.

Nous, les Chiliens, restons attachés à la terre, comme les paysans que nous avons été. La majorité d'entre nous rêve d'avoir une parcelle de terrain, ne serait-ce que pour y planter quatre salades miteuses. Le journal le plus important, le *Mercurio,* publie un supplément hebdomadaire d'agriculture qui informe l'ensemble de la population sur la dernière minuscule bestiole apparue dans les pommes de terre, ou la production de lait obtenue avec un certain fourrage. Ses abonnés, qui vivent dans le béton et l'asphalte, le lisent avec passion, même s'ils n'ont jamais vu une vache vivante.

Grosso modo, on peut dire qu'il existe quatre climats très différents tout au long de mon Chili monté en graine. Le pays est divisé en provinces aux noms très beaux, auxquels les militaires, qui avaient sans doute certaines difficultés à les mémoriser, ajoutèrent un chiffre. Je refuse de les employer, parce qu'il n'est pas possible à une nation de poètes d'avoir une carte constellée de chiffres, véritable délire arithmétique. Parlons des quatre grandes régions, en commençant par le *Norte Grande* (« Grand Nord »), inhospitalier et rude, gardé par de hautes montagnes, qui occupe le quart du territoire et cache dans ses entrailles un trésor inépuisable de minerais.

Dans mon enfance, je suis allée dans le Nord et je ne l'ai pas oublié, bien qu'un demi-siècle se soit écoulé depuis. Plus tard dans ma vie, j'ai dû traverser deux fois le désert d'Atacama mais, bien que cette expérience reste extraordinaire, les souvenirs les plus persistants sont ceux de cette première fois. Dans ma mémoire, Antofagasta, qui dans la langue quechua veut dire « village de la grande saline », n'est pas la cité moderne d'aujourd'hui, mais un port vieillot et misérable, à l'odeur d'iode, parsemé de bateaux de pêche, de mouettes et de pélicans. Antofagasta surgit au XIXe siècle tel un mirage dans le désert, grâce à l'industrie du salpêtre, qui fut l'un des principaux produits d'exportation du pays pendant plusieurs décennies. Plus tard, quand on inventa le nitrate synthétique, le port ne perdit pas de son importance, car il exporte du cuivre, mais les compagnies de salpêtre ont fermé les unes après les autres et la pampa est restée semée de villages fantômes. Ces deux mots, « village fantôme », firent s'envoler mon imagination au cours de ce premier voyage.

Je me souviens que ma famille et moi sommes montées, chargées de paquets, dans un train qui avançait à pas de tortue à travers l'inclément désert d'Atacama en direction de la Bolivie. Le soleil, des pierres calcinées, des kilomètres et des kilomètres de solitude spectrale, de temps à autre un cimetière abandonné, des bâtiments de pisé ou de bois en ruine. Il faisait une chaleur sèche dans laquelle ne survivaient même pas les mouches. La soif était inextinguible ; nous buvions de l'eau par galons, sucions des oranges et nous protégions difficilement de la poussière qui s'introduisait par chaque interstice. Nos lèvres se gerçaient jusqu'au sang, nos oreilles nous faisaient mal, nous étions déshydratés. La nuit tombait un froid aussi dur que du cristal, tandis que la lune éclairait le paysage d'un éclat bleuté. Bien des années plus tard, j'ai visité Chuquicamata, la plus grande mine de cuivre à ciel ouvert du monde, un immense amphithéâtre où des milliers d'hommes de la couleur de la terre, semblables à des fourmis, arrachent le minerai des pierres. Le train a grimpé à plus de quatre mille mètres d'altitude et la température est descendue au point que l'eau gelait dans nos verres. Nous sommes passés par la saline de Uyuni, une mer blanche où règne un silence limpide et où ne vole aucun oiseau, et d'autres salines où nous avons vu des flamants élégants. Ils ressemblaient à des coups de pinceaux roses parmi les cristaux qui, telles des pierres précieuses, se forment dans le sel.

Ce qu'on appelle *Norte Chico* (le « Petit Nord »), que certains ne considèrent pas comme une région à proprement parler, sépare le Nord aride de la fertile zone centrale. C'est là que se trouve la vallée d'Elqui, l'un des centres spirituels de la Terre qui, à ce qu'on dit, est magique. Les forces mystérieuses d'Elqui attirent des pèlerins qui viennent se relier à l'énergie cosmique de l'univers, et nombreux sont ceux qui y restent, vivant dans des communautés ésotériques. Méditations, religions orientales, gourous de tous poils, il y en a pour tous les goûts à Elqui ; ce pourrait être un coin de la Californie. C'est là aussi qu'on fabrique notre pisco, une liqueur de raisin muscat, aussi translucide, vertueuse et sereine que la force angélique qui émane de cette terre. C'est la matière première du *pisco sour*, notre douce et traîtresse boisson nationale, qu'on prend avec confiance, mais qui au deuxième verre lance un coup de pied capable de renverser le plus vaillant. Le nom de cette liqueur, nous l'avons sans scrupules usurpé à la ville de Pisco, au Pérou. Si n'importe quel vin qui a des bulles est appelé champagne, bien que l'authentique ne soit fabriqué que dans la province française de Champagne, je suppose que notre pisco peut bien, lui aussi, s'approprier un nom étranger. Dans le *Norte Chico* fut construit La Silla, l'un des observatoires astronomiques les plus importants au monde, car l'air est si limpide qu'aucune étoile – morte ou à naître – n'échappe à l'œil du télescope géant. A ce propos, une personne qui y a travaillé pendant une trentaine d'années m'a raconté que les astronomes les plus célèbres du monde attendent pendant des années leur tour de scruter l'univers. Je lui ai fait le commentaire que ce devait être extraordinaire de travailler avec des scientifiques qui ont toujours les yeux fixés sur l'infini et vivent détachés des misères terrestres ; mais il m'a appris que c'est tout le contraire : les astronomes sont aussi mesquins que les poètes et se disputent pour la confiture au déjeuner. La condition humaine est surprenante.

Le V*alle Central* (« la Vallée centrale ») est la région la plus prospère du pays, terre de raisin et de pommes, où s'entassent les industries et un tiers de la population, laquelle vit dans la capitale. Santiago fut fondée à cet endroit par Pedro de Valdivia en 1541, car après avoir marché pendant des mois à travers les terres arides du Nord, il eut l'impression d'avoir atteint le jardin d'Eden. Au Chili, tout est centralisé dans la capitale, malgré les efforts de divers gouvernements qui pendant un demi-siècle ont essayé de donner du pouvoir aux provinces. Ce qui ne se passe pas à Santiago semble ne pas avoir d'importance, bien que la vie dans le reste du pays soit mille fois plus agréable et plus tranquille.

La *Zona Sur* (« Zone Sud ») commence à Puerto Montt, à quarante degrés de latitude sud, une région enchanteresse de forêts, de lacs, de rivières et de volcans. De la pluie et toujours plus de pluie alimente la végétation enchevêtrée de la forêt froide, où grandissent nos arbres natifs, vieux de mille ans et aujourd'hui menacés par l'industrie du bois. Plus au sud, le voyageur parcourt des pampas fouettées par des vents implacables, puis le pays s'égraine en un chapelet d'îles inhabitées et de brumes laiteuses, un labyrinthe de fjords, d'îlots, de canaux, d'eau de toutes parts. La dernière ville du continent est Punta Arenas, mordue par tous les vents, âpre et orgueilleuse, face aux étendues désertiques et aux glaciers.

*

Le Chili possède un morceau du continent inconnu de l'Antarctique, un monde de glace et de solitude, de blancheur infinie, où naissent les légendes et périssent les hommes ; nous avons planté notre drapeau au pôle Sud. Pendant longtemps personne n'a accordé de valeur à l'Antarctique, mais nous savons maintenant toutes les richesses minérales qu'il recèle, en plus d'être un paradis pour la faune marine, aussi n'y a-t-il pas un pays qui n'ait posé les yeux sur lui. Un croiseur permet de le visiter avec un confort relatif en été, mais cela coûte cher et, pour le moment, les seuls à faire le voyage sont les touristes riches et les écologistes pauvres, mais déterminés.

En 1888 nous nous sommes adjugé la mystérieuse île de Pâques, *le nombril du monde*, ou Rapanui, comme elle s'appelle dans la langue pascuane. Elle est perdue dans l'immensité de l'océan Pacifique, à deux mille cinq cents milles de distance du Chili continental, environ six heures d'avion de Valparaiso ou de Tahiti. Je ne suis pas sûre de la raison pour laquelle elle nous appartient. En ce temps-là, il suffisait qu'un capitaine de bateau plantât un drapeau pour prendre légalement possession d'une tranche de la planète, même si ses habitants – appartenant, dans ce cas, à la paisible race polynésienne – n'étaient pas d'accord. C'est ainsi qu'agissaient les nations européennes ; le Chili ne pouvait rester à la traîne. Pour les Pascuans, le contact avec l'Amérique du Sud fut fatal. Au milieu du XIXe siècle, la plus grande partie de la population masculine fut emmenée au Pérou pour y travailler comme esclave dans les gisements de guano, tandis que le Chili haussait les épaules devant le sort de ces citoyens oubliés. Ces pauvres gens furent à ce point maltraités qu'en Europe s'éleva une protestation internationale et, à la suite d'un long combat diplomatique, les quinze derniers survivants furent rendus à leurs familles. Ils étaient porteurs du virus de la variole, et en peu de temps la maladie extermina quatre-vingts pour cent des Pascuans restant sur l'île. Le sort des autres ne fut pas meilleur. Les brebis dévorèrent la végétation, transformant l'île en un éboulis de lave pelé, et la négligence des autorités – dans ce cas la Marine chilienne – plongea les habitants dans la misère. Au cours des vingt dernières années, le tourisme et l'intérêt du monde scientifique ont sauvé Rapanui.

Eparpillées sur l'île se dressent des statues monumentales en pierre volcanique, dont certaines pèsent plus de vingt tonnes. Pendant des siècles ces *moai* ont intrigué les experts. Les sculpter sur les flancs des volcans, puis les traîner sur un sol irrégulier, les dresser sur une plate-forme souvent inaccessible et poser dessus un couvre-chef de pierre rouge fut un travail de titans. Comment s'y est-on pris ? Il n'y a pas de trace d'une civilisation avancée pouvant expliquer une telle prouesse. Deux ethnies différentes ont peuplé l'île et, d'après la légende, l'une d'elles, celle des Arikis, possédait des pouvoirs mentaux supérieurs, grâce auxquels elle faisait léviter les *moai* et les transportait en flottant sans effort physique jusqu'à leurs autels élevés. Dommage que cette technique ait été oubliée. En 1940, l'anthropologue norvégien Thor Heyerdahl a fabriqué un radeau, le *Kon Tiki*, et navigué de l'Amérique du Sud jusqu'à l'île de Pâques afin de prouver qu'un contact avait existé entre les Incas et les Pascuans.

Je suis allée à l'île de Pâques au cours de l'été 1974 ; il n'y avait alors qu'un vol hebdomadaire et le tourisme était quasi inexistant. Amoureuse de l'endroit, j'y suis restée trois semaines de plus que prévu, et c'est ainsi que j'ai assisté à l'arrivée de la télévision et à une visite du général Pinochet, qui dirigeait la junte militaire ayant remplacé la démocratie quelques mois plus tôt. La télévision fut reçue avec plus d'enthousiasme que le tout nouveau dictateur. Le séjour du général fut des plus pittoresques, mais ce n'est pas ici le lieu d'entrer dans les détails. Il suffit de dire qu'un nuage espiègle se plaçait stratégiquement au-dessus de sa tête chaque fois qu'il voulut parler en public, le trempant comme une serpillière. Il se proposait de remettre des titres de propriété aux Pascuans, mais personne ne montra beaucoup d'intérêt à les recevoir, vu que depuis des temps fort anciens chacun savait ce qui appartenait à chacun ; et ils craignaient, avec raison, que ce petit bout de papier du gouvernement ne servît qu'à leur compliquer l'existence.

Le Chili possède aussi l'île de Juan Fernández, où en 1704 fut abandonné le marin écossais Alexander Selkirk, qui inspira le roman de Daniel Defoe, *Robinson Crusoé.* Selkirk vécut sur l'île plus de quatre ans, sans un perroquet dressé et sans la compagnie d'un natif du nom de Vendredi, comme dans le livre, jusqu'à ce qu'il fût sauvé par un autre capitaine qui le ramena en Angleterre, où son destin ne fut pas ce qu'on pourrait qualifier de meilleur. Le touriste obstiné, après un vol agité dans un petit avion ou une interminable traversée en bateau, peut visiter la grotte où l'Écossais survécut en se nourrissant de plantes et de poisson.

*

L'éloignement nous donne, à nous Chiliens, une mentalité insulaire, et la prodigieuse beauté de notre terre nous rend vaniteux. Nous nous prenons pour le centre du monde – nous considérons que Greenwich devrait être à Santiago – et tournons le dos à l'Amérique latine, en nous comparant toujours à l'Europe. Nous sommes notre seule référence, le reste de l'univers n'existe que pour consommer nos vins et produire des équipes de football que nous pouvons battre.

Je conseille au visiteur de ne pas mettre en doute les merveilles qu'il entend sur le pays, son vin et ses femmes, car il n'est pas permis à l'étranger de critiquer : quinze millions de natifs s'y emploient à tout instant. Si Marco Polo avait débarqué sur nos côtes après trente ans d'aventures à travers l'Asie, la première chose qu'on lui aurait dite, c'est que nos *empanadas* sont bien plus savoureuses que toute la cuisine de l'Empire Céleste. (Ah ! Voici une autre de nos caractéristiques : nous exprimons notre opinion sans fondement, mais sur un ton de telle certitude que personne ne la met en doute.) Je confesse que je souffre aussi de ce chauvinisme horripilant. La première fois que j'ai visité San Francisco et que j'ai eu devant les yeux les douces collines dorées, la majesté des forêts et le miroir vert de la baie, mon seul commentaire fut que ça rappelait beaucoup la côte chilienne. Par la suite, j'ai constaté que les fruits les plus doux, les vins les plus délicats et le poisson le plus fin sont importés du Chili – cela va sans dire.

Pour voir mon pays avec le cœur il faut lire Pablo Neruda, le poète national qui a immortalisé dans ses vers les superbes paysages, les parfums et les aubes, la pluie tenace et la pauvreté digne, le stoïcisme et l'hospitalité. Tel est le pays de mes nostalgies, celui que j'invoque dans mes solitudes, celui qui tient lieu de toile de fond dans tant de mes histoires, celui qui m'apparaît en rêve. Bien sûr, le Chili a d'autres visages : un visage de tigre matérialiste et arrogant, qui passe son temps à compter ses rayures et à peigner ses moustaches ; un autre déprimé, meurtri par les brutales cicatrices du passé ; un autre qui se présente souriant aux touristes et aux banquiers ; celui qui attend résigné le prochain cataclysme géologique ou politique. Tout le monde trouve son bonheur au Chili.

Blanc-manger, orgues de Barbarie et gitanes

Ma famille est de Santiago, mais cela n'explique pas tous mes traumatismes, il y a de pires endroits sous le soleil. C'est dans cette ville que j'ai grandi, mais je la reconnais à peine à présent et me perds dans ses rues. La capitale fut fondée par des soldats à coups d'épée et de pelle, d'après le tracé classique des villes espagnoles d'autrefois : une place d'armes au centre, d'où partaient des rues parallèles et perpendiculaires. C'est à peine s'il en reste le souvenir. Santiago s'est répandue comme un poulpe dément, étendant ses tentacules avides dans toutes les directions ; elle abrite aujourd'hui cinq millions et demi d'habitants qui survivent du mieux qu'ils peuvent. Ce serait une belle ville, car elle est propre et les parcs n'y manquent pas, si elle n'était coiffée d'un chapeau de pollution brunâtre, qui en hiver tue des enfants dans leurs berceaux, des vieux dans les asiles et des oiseaux en plein vol. Les habitants de Santiago se sont habitués à suivre la courbe journalière du *smog*, tout comme ils suivent les cours de la Bourse et le résultat du football. Les jours où la courbe monte trop, on réduit la circulation des voitures selon leur numéro d'immatriculation, les enfants ne font pas de sport à l'école et le reste des citoyens essaie de respirer le moins possible. La première pluie de l'année lave la saleté de l'atmosphère et tombe comme de l'acide sur la ville ; si vous vous déplacez sans parapluie, vous aurez l'impression qu'on vous jette du jus de citron dans les yeux ; mais n'ayez crainte, cela n'a encore rendu personne aveugle. Tous les jours ne sont pas ainsi, le soleil se lève parfois dans un ciel dégagé et l'on peut alors jouir du spectacle magnifique des montagnes enneigées.

Il y a des villes, comme Caracas ou Mexico, où les pauvres et les riches se mélangent, mais à Santiago les limites sont claires. La différence entre les demeures riches sur les flancs de la cordillère, avec des gardiens à la porte et quatre garages, et les bicoques des populations prolétaires, où vivent quinze personnes entassées dans deux pièces sans toilettes, est phénoménale. Chaque fois que je vais à Santiago je suis frappée de ce qu'une partie de la ville est en noir et blanc et l'autre en technicolor. Dans le centre et dans les quartiers ouvriers tout paraît gris, les rares arbres existants sont rachitiques, les murs délavés, les gens fatigués ; même les chiens qui rôdent entre les poubelles sont des cabots couverts de puces d'une couleur indéfinissable. Dans les secteurs de la petite bourgeoisie, il y a des arbres touffus, les maisons sont modestes mais bien tenues. Dans les quartiers des riches, on n'apprécie que la végétation : les demeures se cachent derrière des murs infranchissables, personne ne marche dans les rues et les chiens sont des molosses qu'on ne lâche que la nuit pour garder les propriétés.

Dans la capitale, l'été est long, sec et chaud. Au cours de ces mois, une poussière jaunâtre couvre la ville ; le soleil fait fondre l'asphalte et affecte l'humeur des habitants de Santiago, raison pour laquelle ceux qui le peuvent tentent de s'échapper. Quand j'étais petite, ma famille partait deux mois à la plage, un véritable safari dans l'automobile de mon grand-père, chargée d'une tonne de ballots sur la galerie et de trois jeunes enfants complètement nauséeux. A cette époque, les chemins étaient mauvais et il fallait serpenter en montant et descendant les collines, ce qui représentait un effort énorme pour la voiture. Chaque fois, il fallait changer au moins un ou deux pneus, tâche qui obligeait à décharger tous les paquets. Mon grand-père gardait sur ses genoux un gros pistolet comme ceux qu'on utilisait autrefois dans les duels, car il croyait que dans la côte de

Curacaví, justement nommée de la Sépulture, des bandits avaient l'habitude de s'embusquer. S'il y en avait eu, je crois que ce n'aurait été que quelques vagabonds qui auraient pris la fuite au premier coup de feu tiré en l'air, mais, au cas où, nous passions la côte en priant, méthode infaillible contre les attaques, puisque nous n'avons jamais vu les sinistres bandits. Rien de cela n'existe aujourd'hui. On arrive aux plages en moins de deux heures par des routes superbes. Il y a peu encore, les seuls mauvais chemins étaient ceux qui conduisaient aux sites où les riches passent l'été, ceux-ci s'échinant à préserver leurs plages privées. Ils étaient horrifiés de voir arriver le populo en bus en fin de semaine, avec leurs enfants bruns, leurs pastèques, leurs poulets rôtis et leur radio émettant de la musique populaire, raison pour laquelle ils gardaient le chemin de terre dans le pire état possible. Comme l'a dit un sénateur de droite : « Quand la démocratie devient démocratique, elle ne sert pas. » Cela a changé. Le pays est relié par une longue artère, la Panaméricaine, qui rejoint l'Australe, et par un vaste réseau de chemins asphaltés et très sûrs. Pas de guérilleros cherchant qui séquestrer, de bandes de trafiquants de drogue défendant leur territoire, ou de policiers corrompus en quête de pot-de-vin, comme dans d'autres pays latino-américains un peu plus intéressants que le nôtre. Il y a beaucoup plus de chance qu'ils attaquent en plein centre-ville que sur un sentier désert de campagne.

*

Dès qu'on sort de Santiago, le paysage devient bucolique : pâturages bordés de peupliers, collines et vignobles. Je recommande au visiteur de s'arrêter pour acheter des fruits et des légumes dans les boutiques qui se succèdent tout au long de la route, ou de faire un léger détour pour entrer dans les hameaux et chercher la maison où flotte un drapeau blanc : on y offre du pain pétri à la main, du miel et des œufs couleur d'or.

Par la route de la côte il y a des plages, des villages pittoresques et des criques avec des filets et des bateaux, où l'on trouve les fabuleux trésors de notre cuisine : d'abord le congre, roi de la mer, avec son gilet d'écailles serties; ensuite le corbeau de mer à la succulente chair blanche, accompagné d'un cortège de cent autres poissons plus modestes, mais tout aussi savoureux; puis vient le chœur de nos coquillages : huîtres, moules, coquilles Saint-Jacques, araignées de mer, lambis, langoustines, et bien d'autres, y compris quelques-uns d'aspect si suspect qu'aucun étranger ne s'aventure à les goûter, tels que l'oursin ou le *picoroco*, iode et sel, pure essence marine. Nos poissons sont si bons qu'il n'est nul besoin de savoir cuisiner pour les préparer. Mettez un lit d'oignons hachés dans un plat en terre ou en Pyrex, posez dessus votre beau poisson baigné dans du jus de citron, avec quelques noisettes de beurre saupoudré de sel et de poivre ; mettez-le au four chaud jusqu'à ce que la chair soit cuite, mais pas trop, afin qu'elle ne sèche pas ; servez-le avec l'un de nos vins blancs bien froid, en compagnie de vos meilleurs amis. Chaque année, en décembre, nous partions avec mon grand-père acheter les dindes de Noël, que les paysans élevaient pour l'occasion. Je revois ce vieil homme traînant sa jambe boiteuse, courant dans un pré en essayant d'attraper la volaille en question. Il devait calculer le bond pour lui tomber dessus, l'aplatir contre le sol et la tenir, tandis que l'un de nous essayait de lui attacher les pattes avec un cordon. Il fallait ensuite donner un pourboire au paysan pour qu'il tue la dinde loin de la vue des enfants, qui autrement auraient refusé d'y goûter une fois préparée. Il est très difficile de tordre le cou d'une créature avec laquelle on a noué une relation personnelle, comme nous avons pu le constater la fois où mon grand-père rapporta une chèvre pour l'engraisser dans la cour de la maison en vue de la faire rôtir le jour de son anniversaire. La chèvre mourut de vieillesse. De plus, il s'avéra que ce n'était pas une femelle, mais un mâle ; dès que des cornes lui sortirent il se mit à nous attaquer traîtreusement.

*

Le Santiago de mon enfance avait des prétentions de grande ville, mais une âme de village. Tout se savait. Quelqu'un avait-il manqué la messe du dimanche ? Très vite la nouvelle circulait, et l'on n'était pas au mercredi que le curé frappait à la porte du pécheur pour s'enquérir des motifs de son absence. Les hommes étaient raides de gomina, d'amidon et de vanité, les femmes mettaient des aiguilles dans leur chapeau et portaient des gants de chevrette ; il était indispensable de se vêtir avec élégance pour aller dans le centre ou au cinéma, qu'on appelait encore *biógrafo*, « biographe ». Peu de maisons avaient un réfrigérateur – à cet égard, celle de mon grand-père était très moderne –, et chaque jour passait un bossu qui distribuait des blocs de glace et du gros sel pour les glacières. Notre réfrigérateur, qui dura quarante ans sans jamais être réparé, possédait un bruyant moteur de sous-marin qui de temps en temps faisait trembler la maison de ses quintes de toux. Armée d'un balai, la cuisinière tirait les cadavres électrocutés des chatons qui étaient allés se fourrer dessous pour chercher un peu de chaleur. Au fond, c'était une bonne méthode prophylactique, car des douzaines de chats naissaient dans la toiture et, sans les coups de jus du réfrigérateur, ils nous auraient complètement envahis.

Dans notre maison, comme dans tout foyer chilien, il y avait des animaux. On acquérait les chiens de différentes manières : on en héritait, on les recevait en cadeau, on les trouvait dans le quartier, blessés mais encore vivants, ou alors ils suivaient l'enfant à la sortie de l'école et ensuite il n'y avait plus moyen de s'en débarrasser. Il en a toujours été ainsi et j'espère que cela ne changera pas. Je ne connais aucun Chilien normal qui en ait acheté un, les seuls qui le font sont des fanatiques du Kennel Club, mais personne ne les prend vraiment au sérieux. La plupart de nos chiens nationaux s'appellent *Negro* (Noiraud), même s'ils sont d'une autre couleur, et les chats portent les noms génériques de *Micifú* (Minet) ou *Cucho*; traditionnellement, les mascottes de ma famille recevaient quant à elles des noms bibliques : Barrabas, Salomé, Caïn, sauf un chien au lignage douteux qu'on a appelé *Sarampión* (Rougeole), parce qu'il fit son apparition pendant une épidémie de cette maladie. Dans les villes et villages de mon pays courent en tous sens des bandes de chiens sans maître, qui ne constituent pas des meutes affamées et désolées, comme celles que l'on voit dans d'autres parties du monde, mais des communautés organisées. Ce sont des animaux calmes, satisfaits de leur position sociale, quelque peu somnolents. Un jour, j'ai lu une étude dont l'auteur soutenait que si toutes les races existantes de chiens se mélangeaient librement, en quelques générations il n'existerait qu'un seul type : un animal fort et rusé, de taille moyenne, au poil court et dur, au museau pointu et à la queue volontaire, autrement dit le cabot chilien typique. Je suppose que nous y arriverons. Lorsque toutes les races humaines se fondront elles aussi en une seule, le résultat donnera des gens plutôt petits, de couleur indéfinie, adaptables, résistants et résignés aux avatars de l'existence, comme nous, les Chiliens.

A cette époque, on allait chercher le pain deux fois par jour à la boulangerie du coin et on le rapportait à la maison enveloppé dans un torchon blanc. L'odeur de ce pain fraîchement sorti du four et encore tiède est l'un des souvenirs les plus persistants de mon enfance. Le lait était une crème écumeuse qui se vendait au détail. Une clochette suspendue au cou du cheval et le fumet d'étable qui envahissait la rue annonçaient l'arrivée de la charrette du laitier. Les bonnes se mettaient en ligne avec leurs pots et achetaient à la tasse, que le laitier mesurait en plongeant son bras velu jusqu'à l'aisselle dans les grands bidons, toujours couverts de mouches. Parfois, on achetait plusieurs litres en plus, pour préparer le *manjar blanco* – ou blanc-manger de lait – qui durait plusieurs mois, entreposé dans la pénombre fraîche de la cave où l'on gardait aussi le vin, mis en bouteille à la maison. On commençait par faire un feu dans la cour avec du bois et du charbon. Dessus, on suspendait à un trépied une marmite en fer noircie par l'usage, où l'on mettait les ingrédients, dans la proportion de quatre tasses de lait pour une de sucre, on aromatisait avec deux bâtons de vanille et l'écorce d'un citron, on laissait patiemment bouillir pendant des heures, en remuant de temps en temps avec une très longue cuiller en bois. Nous, les gosses, nous regardions de loin, attendant que prenne fin le processus et que le blanc-manger refroidisse pour gratter la marmite. On ne nous permettait pas de nous approcher, et chaque fois on nous répétait la triste histoire de cet enfant gourmand qui était tombé dans la marmite et, comme on nous l'expliquait : « Il s'est défait dans la pâte bouillante et on n'a même pas retrouvé ses os. » Lorsque fut inventé le lait pasteurisé en bouteilles, les maîtresses de maison revêtaient leurs habits du dimanche pour se faire photographier près du camion peint en blanc – comme dans les films d'Hollywood – qui avait remplacé l'immonde charrette. Aujourd'hui, non seulement il y a du lait entier, écrémé et parfumé, mais on achète aussi le *manjar blanco* conditionné ; plus personne ne le fait à la maison.

En été, des petits pauvres passaient dans le quartier avec des paniers de mûres et des sacs de coings pour faire des pâtes de fruits ; apparaissait aussi Gervasio Lonquimay le musclé, qui étirait les ressorts métalliques des sommiers et lavait la laine des matelas, un travail qui pouvait prendre trois ou quatre jours, car la laine était séchée au soleil et il fallait ensuite la démêler à la main avant de la remettre dans les housses à matelas. On murmurait que Gervasio Lonquimay avait fait de la prison pour avoir égorgé un rival, rumeur qui lui conférait une aura d'indubitable prestige. Les bonnes lui offraient de l'orgeat pour étancher sa soif et des serviettes pour éponger sa sueur.

Un joueur d'orgue de Barbarie, toujours le même, parcourait les rues, jusqu'à ce que l'un de mes oncles lui achetât son orgue pour aller jouer de la musiquette et, accompagné d'un perroquet pathétique, distribuer des petits papiers de bonne fortune au grand dam de mon grand-père et du reste de la famille. Je crois que mon oncle essayait ainsi de séduire une cousine, mais ce plan ne produisit pas le résultat espéré : la jeune fille se maria en toute hâte et s'enfuit aussi loin que possible. Finalement, mon oncle fit cadeau de l'instrument de musique et le perroquet resta à la maison. Il avait mauvais caractère et à la première distraction pouvait arracher un doigt d'un seul coup de bec à celui qui s'approchait, mais mon grand-père l'avait pris en sympathie parce qu'il jurait comme un corsaire. Ce drôle d'oiseau vécut vingt ans avec lui, et qui sait combien d'années il avait déjà vécu avant ; c'était un Mathusalem emplumé. Dans le quartier passaient aussi les gitanes, enjôlant les naïfs avec leur espagnol incompréhensible et ces yeux irrésistibles qui avaient vu tant de choses de par le monde, allant toujours par deux ou trois, avec une demi-douzaine d'enfants morveux accrochés à leurs jupes. Nous en avions peur, car on disait qu'elles volaient les petits enfants, qu'elles les enfermaient dans des cages pour qu'ils grandissent difformes, puis les vendaient comme phénomènes de cirque. Qu'elles jetaient le mauvais œil si on leur refusait l'aumône. On leur attribuait des pouvoirs magiques : elles pouvaient faire disparaître des bijoux sans les toucher et déchaîner des épidémies de poux, de verrues, de calvitie et de dents pourries. Malgré tout cela, nous ne résistions pas à la tentation de nous faire lire les lignes de la main. Moi, elles me prédisaient toujours la même chose : un homme brun avec des moustaches m'emmènerait très loin. Comme je ne me souviens d'aucun amoureux ayant ces caractéristiques, je suppose qu'elles faisaient allusion à mon beau-père, qui avait une moustache de phoque et qui m'a emmenée dans de nombreux pays lors de ses pérégrinations de diplomate.

Une vieille maison hantée

Mon premier souvenir du Chili, c'est une maison que je n'ai pas connue. Elle a été la protagoniste de mon premier roman, *La Maison aux esprits,* où elle apparaît comme la demeure qui abrite la lignée des Trueba. Cette famille fictive ressemble de façon inquiétante à celle de ma mère ; je n'aurais pu inventer des personnages pareils à ceux-là. De plus, ce n'était pas nécessaire : avec une famille comme la mienne, on n'a pas besoin d'imagination. L'idée de « la grande maison du coin », qui figure dans ce livre, est venue de l'ancienne résidence de la rue Cueto, où est née ma mère ; mon grand-père l'a si souvent évoquée qu'il me semble y avoir vécu. Il ne reste plus de maison comme celle-ci à Santiago, elles ont été avalées par le progrès et par la croissance démographique, mais il en existe encore en province. Je peux la voir : vaste et somnolente, décrépite par l'usage et l'abus, aux plafonds hauts et aux fenêtres étroites, avec trois cours, la première plantée d'orangers et de jasmins où chantait une fontaine, la deuxième avec un potager envahi par les mauvaises herbes et la troisième, un désordre de bassines, de niches, de poulaillers et de chambres de bonnes insalubres, semblables à des cachots d'oubliettes. Pour aller aux toilettes, la nuit, il fallait partir en excursion avec une torche, défier les courants d'air et les araignées en faisant la sourde oreille au grincement du bois et aux courses des souris. La grande maison, avec une entrée sur deux rues, était un rez-de-chaussée avec mansarde et abritait une tribu d'arrière-grands-parents, de tantes célibataires, de cousins, de domestiques, de parents pauvres et d'invités qui s'installaient pour toujours sans que personne osât les mettre à la porte, car au Chili les « parents » sont protégés par un code sacré d'hospitalité. Il y avait aussi quelques fantômes d'une authenticité douteuse, dont ma famille est prolixe. Certains affirment qu'il y avait des âmes en peine dans ces murs, mais l'un de mes vieux parents m'a avoué qu'enfant il se déguisait d'un vieil uniforme militaire pour faire peur à la tante Cupertina. La pauvre célibataire n'a jamais douté que ce visiteur noctambule fût l'esprit de don José Miguel Carrera, l'un des pères de la patrie, qui venait lui demander de l'argent afin de faire dire des messes pour le salut de son âme belliqueuse.

Mes grand-tantes et oncles maternels, les Barros, étaient douze frères et sœurs quelque peu excentriques, mais pas fous à lier. Lorsqu'ils se mariaient, certains restaient avec leur conjoint ou conjointe et leurs enfants dans la maison de la rue Cueto. C'est ce que fit ma grand-mère Isabel, mariée avec mon grand-père Agustín. Non seulement tous deux vécurent dans cette volière de parents extravagants, mais à la mort de mes arrière-grands-parents ils achetèrent la maison et y élevèrent leurs quatre enfants pendant plusieurs années. Mon grand-père la modernisa, mais sa femme souffrait d'asthme à cause de l'humidité des chambres ; de plus, le quartier se remplit de pauvres, et les « gens bien » commencèrent à émigrer en masse vers l'est de la ville. Poussé par la pression sociale, mon grand-père fit construire une maison moderne dans le quartier de Providencia, qui alors était extra-muros, mais on supposait qu'il allait prospérer. L'homme avait bon œil, car en quelques années Providencia devint la zone résidentielle la plus élégante de la capitale, bien qu'elle eût cessé de l'être depuis longtemps, quand la petite bourgeoisie commença à grimper sur les flancs des collines et que les plus riches s'installèrent en haut de la cordillère, là où nichent les condors. Actuellement, Providencia est un chaos de circulation, de commerces, de bureaux et de restaurants, où ne vivent que les plus vieux dans des immeubles vétustes, mais à cette époque elle jouxtait les champs où les familles puissantes avaient des fermes pour y passer l'été, où l'air était pur et l'existence bucolique. Je parlerai un peu plus loin de cette maison ; pour le moment, revenons à ma famille.

Le Chili est un pays moderne de quinze millions d'habitants, mais avec des relents de mentalité tribale. Malgré l'explosion démographique, cela n'a pas beaucoup changé, surtout dans les provinces, où chaque famille reste enfermée dans son cercle, grand ou petit. Nous sommes divisés en clans, qui partagent un intérêt ou une idéologie. Leurs membres se ressemblent, ils s'habillent de la même façon, pensent et agissent comme des clones et, bien sûr, se protègent entre eux, en excluant les autres. Nous avons le clan des agriculteurs (je parle des propriétaires terriens, non des humbles paysans), des médecins, des hommes politiques (quel que soit leur parti), des chefs d'entreprise, des militaires, des camionneurs et, enfin, tous les autres. Au-dessus des clans il y a la famille, inviolable et sacrée : personne n'échappe à ses devoirs envers elle. Par exemple, l'oncle Ramón m'appelle au téléphone en Californie, où je vis, pour m'apprendre la mort d'un oncle au troisième degré que je n'ai pas connu, qui a laissé une fille dans une situation préoccupante. La jeune fille veut devenir infirmière, mais elle n'a pas les moyens de payer ses études. En tant que membre le plus âgé du clan, il revient à l'oncle Ramón de se mettre en contact avec quiconque a des liens de sang avec le défunt, depuis les proches parents jusqu'aux plus éloignés, pour financer les études de la future infirmière. Refuser serait un acte vil, dont on se souviendrait pendant plusieurs générations. Étant donné l'importance que la famille a pour nous, j'ai choisi la mienne comme fil conducteur de ce livre : si je m'étends sur certains de ses membres, c'est certainement qu'il y a une raison, même si celle-ci ne reflète parfois que mon désir de ne pas perdre ces liens du sang qui m'unissent aussi à ma terre. Mes parents serviront à illustrer certains vices et vertus du caractère des Chiliens. En tant que méthode scientifique, il est possible qu'elle soit contestable, mais du point de vue littéraire elle présente quelques avantages.

*

Mon grand-père, qui était issu d'une petite famille ruinée par la mort prématurée du père, tomba amoureux d'une jeune fille qui avait la réputation d'être belle, du nom de Rosa Barros, mais qui mourut mystérieusement avant le mariage. Il ne reste d'elle que deux photographies couleur sépia, déteintes par la brume du temps, sur lesquelles se distinguent à peine ses traits. Quelques années plus tard, mon grand-père épousa Isabel, la sœur cadette de Rosa. En ce temps-là, à Santiago, tout le monde se connaissait au sein d'une même classe sociale, si bien que les mariages, même si on ne les arrangeait pas comme en Inde, étaient toujours des affaires de famille. Mon grand-père pensa en toute logique qu'ayant été accepté chez les Barros comme fiancé de l'une de leurs filles, il n'y avait aucune raison qu'il ne le fût pour une autre.

Dans sa jeunesse, mon grand-père Agustín était mince, avec un nez aquilin, habillé de noir dans un costume retaillé de son défunt père, solennel et orgueilleux. Il appartenait à une vieille famille d'origine castillano-basque, mais à la différence de ses parents, il était pauvre. Sa famille ne faisait pas parler d'elle, sauf l'oncle Jorge, bel homme élégant comme un prince, ayant un brillant avenir à ses pieds, convoité par plusieurs demoiselles en âge de se marier, qui eut la faiblesse de tomber amoureux d'une femme *de medio pelo* (« très ordinaire »), comme on qualifie au Chili la petite bourgeoisie laborieuse. Peut-être dans un autre pays auraient-ils pu s'aimer sans tragédie, mais dans le milieu où il leur fut donné de vivre, ils étaient condamnés à l'ostracisme. Elle a adoré l'oncle Jorge pendant cinquante ans, mais portait une étole de renard mité, teignait ses cheveux couleur carotte, fumait avec désinvolture et buvait la bière directement à la bouteille, raisons plus que suffisantes pour que mon arrière-grand-mère Ester lui déclarât la guerre et interdît à son fils de prononcer son nom en sa présence. Il lui obéit sans dire un mot, mais le lendemain de la mort de sa mère il épousa sa bien-aimée, qui était alors une femme d'âge mûr et malade des poumons, bien que toujours aussi adorable. Ils s'aimèrent dans la misère sans que rien pût les séparer : deux jours après qu'il eut succombé à une crise cardiaque, on la retrouva morte dans son lit, enveloppée dans une vieille robe de chambre de son mari.

Je dois dire quelques mots sur mon arrière-grand-mère Ester, car je crois que sa forte influence explique certains aspects du caractère de sa descendance et, en quelque sorte, elle représente la « matriarche » intransigeante, aussi commune à cette époque que de nos jours. La figure maternelle ayant dans notre pays des proportions mythologiques, l'attitude soumise de l'oncle Jorge ne me surprend pas. La mère juive et la *mamma* italienne sont des dilettantes comparées aux Chiliennes. Je viens de découvrir par hasard que le mari de doña Ester n'avait pas la tête faite pour les affaires et qu'il avait perdu les terres et la fortune dont il avait hérité ; il semble que ses créanciers étaient ses propres frères. Se voyant ruiné, il partit dans sa maison de campagne et se fit exploser la poitrine d'un coup de fusil. Je dis que je viens de découvrir ce fait, parce que ma famille l'a tenu caché pendant cent ans, et qu'aujourd'hui encore on ne le mentionne qu'à mi-voix ; le suicide était considéré comme un péché particulièrement horrible, car le corps ne pouvait être inhumé dans la terre consacrée d'un cimetière catholique. Pour éviter la honte, ses parents habillèrent le cadavre d'une redingote, ils le coiffèrent d'un chapeau haut de forme, l'assirent dans une voiture à cheval et l'emmenèrent à Santiago, où on put lui donner une sépulture chrétienne du fait que tout le monde, y compris le curé, ferma les yeux. Cet événement divisa la famille entre les descendants directs, qui affirment que cette histoire de suicide est une calomnie, et les descendants du frère du mort, qui se retrouvèrent finalement avec ses biens. Quoi qu'il en soit, la veuve sombra dans la dépression et la pauvreté. Elle avait été une femme joyeuse et jolie, pianiste virtuose, mais à la mort de son mari elle porta rigoureusement le deuil, ferma le piano à clé, et ne sortit désormais de chez elle que pour assister chaque jour à la messe. Avec le temps, l'arthrite et l'obésité la changèrent en une statue monstrueuse prisonnière entre quatre murs. Une fois par semaine, le curé lui apportait la communion chez elle. Cette veuve sombre inculqua à ses enfants l'idée que le monde est une vallée de larmes et que nous ne sommes ici que pour souffrir. Prisonnière dans son fauteuil d'invalide, elle jugeait les autres vies; rien n'échappait à ses petits yeux de faucon et à sa langue de prophète. Pour le tournage du film *La Maison aux esprits*, on dut faire venir pour ce rôle, d'Angleterre aux studios de Copenhague, une actrice de la taille d'une baleine, après avoir enlevé plusieurs sièges de l'avion pour contenir son invraisemblable corpulence. Elle n'apparaît qu'un instant sur l'écran, mais elle produit une impression mémorable.

*

A l'inverse de doña Ester et de sa descendance, gens solennels et sérieux, mes oncles maternels étaient joyeux, exubérants, dépensiers, ils tombaient facilement amoureux, savaient parier aux courses, jouer de la musique et danser la polka. (Danser est peu habituel chez les Chiliens, qui en général n'ont pas le sens du rythme. L'une des grandes découvertes que j'ai faite au Venezuela, où je suis partie vivre en 1975, c'est le pouvoir thérapeutique de la danse. Dès que trois Vénézuéliens se réunissent, l'un joue du tambour ou de la guitare et les deux autres dansent; il n'y a pas de peine qui résiste à ce traitement. Nos fêtes, au contraire, ressemblent à des funérailles : les hommes se rassemblent dans un coin pour parler affaires et les femmes s'ennuient. Seuls dansent les jeunes, séduits par la musique nord-américaine, mais dès qu'ils se marient ils deviennent solennels, comme leurs parents.) La plupart des anecdotes et des personnages de mes livres s'inspirent de cette originale famille Barros. Les femmes étaient délicates, spirituelles et drôles, les garçons grands, beaux et toujours prêts pour une bagarre à coups de poing ; c'étaient aussi des *chineros,* comme on appelait les habitués des bordels, et plus d'un se retrouva avec une maladie mystérieuse. J'imagine que la culture du bordel est importante au Chili, car il apparaît à maintes reprises dans la littérature, comme si nos auteurs en étaient obsédés. Bien que je ne me considère pas comme une experte en la matière, je ne me suis pas privée, dans mon premier roman, d'inventer une prostituée au grand cœur, Tránsito Soto.

J'ai une grand-tante centenaire qui aspire à la sainteté et dont l'unique désir est d'entrer au couvent, mais aucune congrégation, pas même les petites sœurs de la Charité, ne la supporte plus de deux semaines, si bien que la famille a dû la prendre en charge. Croyez-moi, il n'y a rien de plus insupportable qu'un saint, je ne le souhaite pas même à mon pire ennemi. Lors des dîners dominicaux chez mon grand-père, mes oncles faisaient des plans pour l'assassiner, mais elle parvenait toujours à s'en tirer saine et sauve et elle est encore vivante. Dans sa jeunesse, cette dame portait un habit de son invention, elle chantait à toute heure des hymnes religieux d'une voix angélique, et à la moindre inattention s'échappait pour aller rue Maipú catéchiser à grands cris les filles de joie, qui la recevaient avec une pluie de légumes pourris. Dans la même rue, l'oncle Jaime, cousin de ma mère, gagnait l'argent de ses études de médecine en malmenant un accordéon dans les « maisons de mauvaise vie ». Il se levait en chantant à pleins poumons une chanson intitulée *J'aime une femme nue*, et cela faisait un tel scandale que les bigotes sortaient pour protester. En ce temps-là, la liste noire de l'Église catholique comprenait des livres comme *Le Comte de Monte-Cristo*, imaginez la frayeur qu'a pu causer ce désir d'une femme nue vociféré par mon oncle. Jaime finit par devenir le pédiatre le plus célèbre et le plus aimé du pays, l'homme politique le plus pittoresque – capable de réciter ses discours au Sénat en vers rimés – et sans doute le plus radical de mes parents, communiste à la gauche de Mao alors que Mao était encore dans ses couches. C'est aujourd'hui un vieux monsieur beau et lucide, qui porte des chaussettes rouge vif comme symbole de ses idées politiques. Un autre de mes parents enlevait son pantalon dans la rue pour le donner aux pauvres et sa photographie en caleçon, mais avec chapeau, jaquette et cravate, paraissait régulièrement dans les journaux. Il avait une si haute idée de lui-même qu'il laissa dans son testament des instructions pour être enterré debout : il pourrait ainsi regarder Dieu dans les yeux lorsqu'il frapperait à la porte du ciel.

*

Je suis née à Lima, où mon père était l'un des secrétaires de l'ambassade. La raison pour laquelle je fus élevée dans la maison de mon grand-père à Santiago est que le mariage de mes parents fut dès le début un désastre. Un jour, je devais avoir quatre ans, mon père sortit acheter des cigarettes et il ne revint jamais. La vérité, c'est qu'il n'alla pas acheter des cigarettes, comme on l'a toujours dit, mais qu'il partit faire la fête déguisé en Indienne péruvienne, avec des jupes multicolores et une perruque à longues tresses. Il laissa ma mère à Lima, avec un tas de factures impayées et trois enfants, le plus jeune, un nouveau-né. Je suppose que ce premier abandon a laissé une empreinte dans ma psyché, car il y a dans mes livres tellement d'enfants abandonnés qu'on pourrait fonder un orphelinat ; les parents de mes personnages sont morts, disparus ou tellement autoritaires et distants que c'est comme s'ils existaient sur une autre planète. En se retrouvant sans mari et à la dérive dans un pays étranger, ma mère dut vaincre le monumental orgueil dans lequel elle avait été élevée et revenir au foyer de mon grand-père. Mes premières années à Lima sont effacées par la brume de l'oubli ; tous les souvenirs de mon enfance sont liés au Chili.

J'ai grandi dans une famille patriarcale dans laquelle mon grand-père était semblable à Dieu : infaillible, omniprésent et tout-puissant. Sa maison dans le quartier de Providencia n'était même pas l'ombre de la demeure de mes arrière-grands-parents dans la rue Cueto, mais pendant mes premières années elle fut tout mon univers. Il n'y a pas longtemps, un journaliste japonais s'est rendu à Santiago dans l'intention de photographier la supposée *grande maison du coin de la rue* qui apparaît dans mon premier roman. Il fut inutile de lui expliquer que c'était une fiction. Au terme d'un si long voyage, le pauvre homme eut une terrible déception, car Santiago a été démolie et reconstruite plusieurs fois depuis lors. Rien ne dure dans cette ville. La maison qu'avait fait bâtir mon grand-père est maintenant une discothèque minable, une déprimante élucubration de plastique noir aux lumières psychédéliques. La résidence de la rue Cueto, qui fut celle de mes arrière-grands-parents, a disparu il y a bien des années, et à sa place s'élèvent des tours modernes pour locataires à faibles revenus, impossibles à reconnaître parmi tant de dizaines d'immeubles identiques.

Permettez-moi un commentaire sur cette démolition, une sorte de caprice sentimental. Un jour, les machines du progrès arrivèrent avec la mission de pulvériser la grande maison de mes ancêtres, et pendant des semaines les implacables dinosaures d'acier aplanirent le sol de leurs pattes dentées. Lorsque enfin le nuage de poussière des bédouins retomba, les passants atterrés purent constater que sur ce terrain vague s'élevaient encore plusieurs palmiers intacts. Solitaires, nus, avec leurs crinières fanées et leur air d'humbles cendrillons, ils attendaient leur fin ; mais au lieu du terrible bourreau apparurent des travailleurs en sueur et, telles des fourmis diligentes, ils creusèrent des tranchées autour de chaque arbre, jusqu'à les détacher du sol. Les arbres élancés agrippaient des poignées de terre sèche avec leurs fragiles racines. Les grues emportèrent les palmiers blessés jusqu'à des trous que les jardiniers avaient préparés à un autre endroit, et là ils les plantèrent. Les troncs gémirent sourdement, les feuilles tombèrent en effilochures jaunes et pendant quelque temps il sembla que rien ne pourrait les sauver d'une telle agonie, mais ce sont des créatures tenaces. Une lente rébellion souterraine répandit peu à peu la vie, les tentacules végétaux se frayèrent un passage, mélangeant les restes de terre de la rue Cueto avec le nouveau sol. Au cours d'un inévitable printemps les palmiers se réveillèrent en agitant leurs perruques et contorsionnant leur taille, vifs et rétablis, malgré tout.

L'image de ces arbres de la maison de mes ancêtres me revient fréquemment à l'esprit quand je pense à mon destin d'exilée. Mon sort est d'aller d'un endroit à un autre et de m'adapter à de nouvelles terres. Je crois que j'y parviens parce que j'ai des poignées de ma terre dans mes racines et que je les emporte toujours avec moi. En tout cas, le journaliste japonais qui alla au bout du monde photographier une maison de roman rentra dans son pays les mains vides.

*

La demeure de mon grand-père était pareille à celles de mes oncles comme à celle de toute autre famille d'un milieu équivalent. Les Chiliens ne se caractérisent pas par leur originalité : à l'intérieur, leurs maisons sont toutes plus ou moins semblables. On me dit qu'à présent les riches engagent des décorateurs et achètent à l'étranger jusqu'aux clés des toilettes, mais à cette époque personne n'avait entendu parler de décoration intérieure. Dans le salon balayé par d'inexplicables courants d'air, il y avait des rideaux en peluche couleur sang de taureau, des lampes à larmes de verre, un piano à queue désaccordé et une grande horloge encombrante, noire comme un cercueil, dont le carillon marquait les heures sur un ton funèbre. Il y avait aussi deux horribles figurines en porcelaine française représentant des courtisanes aux perruques poudrées et des chevaliers aux talons hauts. Mes oncles les utilisaient pour affiner leurs réflexes : ils se les balançaient mutuellement à la tête, espérant en vain qu'elles tombent par terre en mille morceaux. La maison était habitée par des humains excentriques, des mascottes à demi sauvages et quelques fantômes amis de ma grand-mère, qui l'avaient suivie depuis la demeure de la rue Cueto et qui, même après sa mort, continuèrent à tourner autour de nous.

Mon grand-père Agustín était un homme solide et fort comme un guerrier, bien qu'il fût né avec une jambe plus courte que l'autre. Il ne lui est jamais venu à l'idée de consulter un médecin à ce sujet, donnant la préférence à un « rebouteux ». Il s'agissait d'un aveugle qui arrangeait les pattes accidentées des chevaux du Club hippique et, sur les os, en connaissait plus que n'importe quel traumatologue. Avec le temps, la claudication de mon grand-père s'accentua, il souffrit d'arthrite et sa colonne vertébrale se déforma, si bien que chaque mouvement était un supplice, mais je ne l'ai jamais entendu se plaindre de ses douleurs ou de ses problèmes, même si, comme tout Chilien qui se respecte, il se plaignait de tout le reste. Il supportait le tourment de son pauvre squelette avec des poignées d'aspirine et de grandes gorgées d'eau. Plus tard, j'appris que ce n'était pas de l'eau innocente, mais du genièvre qu'il buvait cul sec, comme un pirate, sans que cela affectât sa conduite ou sa santé. Il vécut près d'un siècle sans perdre un seul boulon de son cerveau. La douleur ne le dispensait pas de ses devoirs de courtoisie et jusqu'à la fin de ses jours, alors qu'il n'avait plus que la peau et les os, il se levait péniblement de sa chaise pour saluer et dire au revoir aux dames.

J'ai sa photographie sur ma table de travail. Il ressemble à un paysan basque. Il est de profil, avec un béret noir sur la tête, ce qui accentue son nez aquilin et l'expression ferme de son visage parcheminé. Il vieillit armé par l'intelligence et renforcé par l'expérience. Il mourut avec une touffe de cheveux blancs et son regard bleu tout aussi perspicace que dans sa jeunesse. Qu'il est difficile de mourir ! me dit-il un jour, alors qu'il était déjà très affaibli par les douleurs de ses os. Il parlait par dictons, il connaissait des centaines de contes populaires et récitait par cœur de longs poèmes. Cet homme formidable m'a transmis le don de la discipline et l'amour de la langue, sans lesquels je ne pourrais aujourd'hui me consacrer à l'écriture. Il m'a également appris à observer la nature et à aimer le paysage du Chili. Il disait que, de même que les Romains vivent au milieu de statues et de fontaines sans s'en rendre compte, nous autres Chiliens vivons dans le pays le plus admirable de la planète sans l'apprécier. Nous ne percevons pas la présence apaisante des montagnes enneigées, les volcans endormis et les collines interminables qui nous protègent dans une monumentale étreinte ; l'écumante fureur du Pacifique s'écrasant sur les côtes ne nous surprend pas, ni les paisibles lacs du Sud et leurs bruyantes cascades ; nous ne vénérons pas comme des pèlerins la nature millénaire de notre forêt primaire, les paysages lunaires du Nord, les fleuves féconds des Araucans et les glaciers bleus où le temps a volé en éclats.

Nous parlons des années quarante et cinquante... comme j'ai vécu, mon Dieu ! Vieillir est un processus lent et sournois. Parfois j'oublie le passage du temps, car en mon for intérieur je n'ai pas encore trente ans ; mais inévitablement mes petits-enfants me confrontent à la dure réalité lorsqu'ils me demandent si « de mon temps » il y avait l'électricité. Ces mêmes petits-enfants affirment qu'il y a dans ma tête un village où les personnages de mes livres vivent leurs histoires. Lorsque je leur raconte des anecdotes du Chili, ils pensent que je parle de ce village inventé.

Un gâteau mille-feuille

Qui sommes-nous, nous les Chiliens ? Il m'est difficile de nous définir par écrit, mais d'un seul regard je peux distinguer un compatriote à cinquante mètres de distance. D'autant que j'en rencontre partout. Dans un temple sacré du Népal, dans la forêt amazonienne, dans un carnaval de La Nouvelle-Orléans, sur les glaces éclatantes de l'Islande, où que vous vouliez, il y a un Chilien avec sa manière particulière de marcher et son accent chantant. Même si tout au long de notre pays filiforme nous sommes séparés par des milliers de kilomètres, nous sommes résolument ressemblants ; nous partageons la même langue et des coutumes similaires. Les seules exceptions sont la haute société, qui sans beaucoup d'écarts descend d'Européens, et les indigènes : les Aymaras et quelques Quechuas dans le Nord, les Mapuches dans le Sud, qui luttent pour conserver leur identité dans un monde où il y a de moins en moins d'espace pour eux.

J'ai grandi baignée dans la légende qu'il n'y a pas de problèmes raciaux au Chili. Je ne m'explique pas comment nous osons perpétuer un tel mensonge. Nous ne parlons pas de racisme, mais de « système de classes » (nous avons le goût des euphémismes), ce qui revient pratiquement au même. Non seulement il y a du racisme et/ou un esprit de classe, mais ils sont aussi fortement enracinés que des molaires. Celui qui soutient que ce sont des choses du passé se trompe du tout au tout, comme je viens de le constater lors de ma dernière visite, lorsque j'ai appris que l'un des plus brillants élèves de la faculté de droit de l'université du Chili avait été refusé par un important bureau d'avocats, parce qu'« il n'avait pas le profil de cette corporation ». Autrement dit, il était métis et portait un nom mapuche. Les clients du bureau ne lui auraient pas fait confiance et auraient refusé d'être représentés par lui ; ils n'auraient pas non plus accepté qu'il sorte avec l'une de leurs filles. Comme c'est le cas dans le reste de l'Amérique latine, notre classe supérieure est relativement blanche, et plus on descend dans la raide échelle sociale, plus accentués sont les traits indigènes. Cependant, à défaut d'autres références, la plupart des Chiliens se considèrent blancs ; ce fut pour moi une surprise de découvrir qu'aux Etats-Unis je suis une « personne de couleur ». (Un jour où je dus remplir un formulaire d'immigration, j'ouvris mon chemisier pour montrer la couleur de ma peau à un fonctionnaire afro-américain, qui prétendait me classer dans la dernière catégorie raciale de sa liste : « autre ». L'homme ne trouva pas cela drôle du tout.

Bien qu'il ne reste que peu d'Indiens purs – environ dix pour cent de la population –, leur sang coule dans les veines de notre peuple métis. Les Mapuches sont en général de petite taille, courts sur pattes, leur buste est long, leur peau brune, leurs cheveux et leurs yeux sombres, leurs pommettes marquées. Ils éprouvent une méfiance atavique – et justifiée – à l'égard des non-Indiens, qu'ils qualifient de *huincas*, ce qui ne veut pas dire blancs, mais voleurs de terre. Ces Indiens, divisés en plusieurs ethnies, ont fortement contribué à forger le caractère national, même si autrefois aucune personne se respectant n'admettait le moindre lien avec eux ; ils avaient la réputation d'être des ivrognes, des paresseux et des voleurs. Telle n'est pas l'opinion de don Alonso de Ercilla y Zúñiga, remarquable soldat et écrivain espagnol, qui séjourna au Chili au milieu du XVIe siècle et écrivit *La Araucana*, un long poème épique sur la conquête espagnole et la féroce résistance des indigènes. Dans le prologue, s'adressant au roi, son seigneur, voici ce qu'il dit des Araucans : « ... avec pure bravoure et détermination obstinée ils ont rédimé et sustenté leur liberté, en sacrifice d'elle répandant tellement de sang, tant le leur que celui des Espagnols, qu'en vérité on peut dire qu'il y a peu d'endroits qui n'en soient colorés, et peuplés d'os... Et le manque de gens est tel, en raison de tous ceux qui sont morts dans cette exigence, que pour faire davantage corps et grossir les escadrons les femmes viennent aussi à la guerre et, se battant parfois comme des hommes, elles se donnent avec grand courage à la mort. »

Ces dernières années, quelques tribus mapuches se sont soulevées et le pays ne peut les ignorer plus longtemps. En fait, les Indiens sont à la mode. Il ne manque pas d'intellectuels et d'écologistes en quête d'un ancêtre avec une lance pour décorer leur arbre généalogique ; un héroïque indigène fait beaucoup mieux dans l'arbre familial qu'un marquis chétif aux dentelles jaunies affaibli par la vie courtisane. J'avoue avoir tenté d'acquérir un nom mapuche afin de m'enorgueillir d'un bisaïeul cacique, de même qu'autrefois on achetait des titres de la noblesse européenne, mais jusqu'à présent je n'y ai pas réussi. Je suspecte mon père d'avoir ainsi obtenu ses armoiries : trois chiens faméliques sur un fond bleu, si mes souvenirs sont exacts. Le blason en question est resté caché dans la cave et on ne le mentionnait jamais, car les titres de noblesse furent abolis lorsque l'indépendance d'avec l'Espagne fut déclarée ; il n'y a d'ailleurs rien de plus ridicule au Chili que d'essayer de se faire passer pour noble. Lorsque je travaillais aux Nations unies j'eus pour chef un véritable comte italien qui, devant les éclats de rire que provoquaient ses titres, dut faire changer ses cartes de visite.

Les chefs indigènes obtenaient leur poste grâce à des prouesses surhumaines de force et de bravoure. Ils prenaient sur leur dos un tronc de ces forêts immaculées et celui qui supportait son poids le plus longtemps devenait un *toqui.* Comme si ce n'était pas suffisant, ils récitaient sans respiration ni pause un discours improvisé, car en plus de prouver leur capacité physique, ils devaient convaincre par la cohérence et la beauté de leurs paroles. C'est peut-être de là que nous vient notre antique vice de la poésie... L'autorité du vainqueur n'était plus remise en question jusqu'au prochain tournoi. Aucune torture inventée par les ingénieux conquérants espagnols, aussi épouvantable fût-elle, ne parvenait à démoraliser ces héros obscurs qui sans une plainte mouraient empalés sur une lance, écartelés par quatre chevaux ou lentement brûlés sur un bûcher. Nos Indiens n'appartenaient pas à une culture brillante, comme les Aztèques, les Mayas ou les Incas; ils étaient rébarbatifs, primitifs, irascibles et peu nombreux, mais tellement courageux qu'ils furent sur le pied de guerre pendant trois cents ans, d'abord contre les colonisateurs espagnols et ensuite contre la république. Ils furent pacifiés en 1880 et on n'entendit plus beaucoup parler d'eux pendant plus d'un siècle, mais aujourd'hui les Mapuches – « Gens de la terre » – ont repris la lutte pour défendre les rares terres qui leur restent, menacées par la construction d'un barrage sur le fleuve Bío Bío.

Les manifestations artistiques et culturelles de nos Indiens sont aussi sobres que tout ce qu'on produit par ailleurs dans le pays. Ils teignent leurs tissus dans des tons végétaux : marron, noir, gris, blanc; leurs instruments de musique sont aussi lugubres que le chant des baleines; leurs danses sont pataudes, monotones et tellement persistantes qu'à la longue elles font pleuvoir; leur artisanat est beau, mais il n'a pas l'exubérance et la variété de celui du Mexique, du Pérou ou du Guatemala.

Les Aymaras, « Fils du Soleil », très différents des Mapuches, sont les mêmes que ceux de Bolivie, qui vont et viennent sans s'occuper des frontières, cette région leur appartenant depuis toujours. Ils ont un caractère affable et, bien qu'ils conservent leurs coutumes, leur langue et leurs croyances, ils se sont intégrés à la culture des Blancs, surtout en ce qui concerne le commerce. Sur ce point, ils diffèrent des quelques groupes de Quechuas qui habitent les zones les plus isolées de la sierra péruvienne, pour lesquels le gouvernement est l'ennemi, comme au temps de la colonie ; la guerre d'Indépendance et la création de la république du Pérou n'ont pas modifié leur mode de vie.

Les malheureux Indiens de la Terre de Feu, à l'extrême sud du Chili, ont péri il y a longtemps, victimes des balles et des épidémies ; de ces tribus il ne reste aujourd'hui qu'une poignée d'Alacalufes. Les chasseurs recevaient une récompense pour chaque paire d'oreilles qu'ils rapportaient comme preuve d'avoir tué un Indien ; c'est ainsi que les colons ont évacué la région. C'étaient des géants qui vivaient presque nus sur un territoire de glaces inclémentes, où seuls les phoques peuvent se sentir à l'aise.

*

Au Chili, on n'a pas apporté de sang africain, qui nous aurait donné du rythme et de la couleur ; il n'est pas arrivé non plus, comme en Argentine, une forte immigration italienne, qui nous aurait peut-être rendus extrovertis, vaniteux et joyeux ; il n'est même pas arrivé assez d'Asiatiques, comme au Pérou, qui auraient compensé notre solennité et épicé notre cuisine ; mais j'ai la certitude que si des quatre points cardinaux avaient convergé d'enthousiastes aventuriers pour peupler notre pays, les orgueilleuses familles castillano-basques auraient fait en sorte de se mélanger le moins possible, sauf avec des Européens du Nord. Il faut le dire : notre politique d'immigration a été ouvertement raciste. Pendant longtemps on n'acceptait ni les Asiatiques, ni les Noirs, ni les très bronzés. Un président des années mille huit cent eut l'idée d'attirer des Allemands de la Forêt-Noire et de leur attribuer des terres dans le Sud, qui bien sûr n'étaient pas à lui, elles appartenaient aux Mapuches, mais personne ne s'est arrêté à ce détail, hormis les propriétaires légitimes. L'idée était que le sang teutonique améliorerait notre peuple métis en lui inculquant l'esprit du travail, la discipline, la ponctualité et l'organisation. La peau olivâtre et les cheveux raides des Indiens étaient mal vus ; quelques gènes germains ne nous feraient pas de mal, pensaient les autorités de l'époque. On espérait que les immigrants se marieraient avec des Chiliens et que nous, humbles natifs, sortirions gagnants du mélange, ce qui est effectivement arrivé à Valdivia et Osorno, provinces qui peuvent aujourd'hui se vanter d'hommes grands, de femmes à la poitrine opulente, d'enfants aux yeux bleus et du plus authentique *strudel* aux pommes. Le préjugé de la couleur est encore si fort qu'il suffit qu'une femme ait les cheveux blonds, même s'ils s'accompagnent d'un visage d'iguane, pour qu'on se retourne sur elle dans la rue. Dès ma plus tendre enfance on m'a décoloré les cheveux avec un liquide au parfum douceâtre appelé Bayrum ; il n'y a pas d'autre explication au miracle qui en moins de six mois a transformé les mèches noires avec lesquelles je suis née en d'angéliques boucles d'or. Pour mes frères, il ne fut pas nécessaire de recourir à de tels extrêmes, car l'un était crépu et l'autre blond. En tout cas, les immigrants de la Forêt-Noire ont été très influents au Chili et, de l'avis de beaucoup, ils ont sauvé le Sud de la barbarie pour en faire le merveilleux paradis qu'il est aujourd'hui.

Après la Seconde Guerre mondiale, une vague différente d'Allemands vint se réfugier au Chili, où existait une telle sympathie à leur égard que notre gouvernement ne rejoignit les Alliés qu'au dernier moment, quand il fut impossible de rester neutre. Pendant la guerre, le parti nazi chilien défilait en uniforme brun, avec des drapeaux à croix gammée et le bras levé. Ma grand-mère courait à côté d'eux en leur jetant des tomates. Cette dame représentait une exception, car au Chili les gens étaient à ce point antisémites que le mot *juif* faisait figure d'injure ; j'ai des amis à qui on lavait la bouche avec de l'eau et du savon s'ils osaient le prononcer. Pour parler d'eux, on disait *israélites* ou *hébreux*, et presque toujours dans un murmure. La mystérieuse colonie « Dignité » existe encore, un campement nazi totalement fermé, sorte de nation indépendante dans la nation, qu'aucun gouvernement n'a réussi à démanteler, car on suppose qu'elle bénéficie secrètement de la protection des Forces armées. Au temps de la dictature (1973-1989), ce fut un centre de torture utilisé par les services de renseignements. Actuellement, son chef fuit la justice, accusé de viols de mineurs et autres délits. Toutefois, les paysans des alentours ont de la sympathie pour ces présumés nazis, parce qu'ils entretiennent un excellent hôpital qu'ils mettent au service de la population. A l'entrée de la colonie, il y a un restaurant allemand qui propose la meilleure pâtisserie de la région, servie par d'étranges hommes blonds au visage rempli de tics, qui répondent par monosyllabes et ont des yeux de lézard. Cela, je ne l'ai pas vérifié, on me l'a raconté.

Au XIXe siècle arrivèrent des Anglais en grand nombre, qui contrôlèrent le transport maritime et les chemins de fer, de même que le commerce de l'importation et de l'exportation. Certains de leurs descendants de la troisième ou quatrième génération, qui n'avaient jamais mis les pieds en Angleterre mais l'appelaient *home*, mettaient un point d'honneur à parler espagnol avec un accent et à se tenir au courant des nouvelles en lisant les journaux qui arrivaient avec retard de là-bas. Mon grand-père, qui fit beaucoup d'affaires avec des compagnies qui élevaient des moutons en Patagonie pour l'industrie textile britannique, disait qu'il n'avait jamais signé un contrat : la parole donnée et une poignée de main étant plus que suffisantes. Les Anglais – *gringos*, comme nous appelons en général toute personne qui a les cheveux blonds ou dont la langue maternelle est l'anglais – ont créé des écoles, des clubs, et ils nous ont appris plusieurs jeux fort ennuyeux, y compris le bridge.

*

Nous, les Chiliens, aimons les Allemands à cause des saucisses, de la bière et du casque prussien, outre le pas de l'oie que nos militaires ont adopté pour défiler ; mais en réalité, ce sont les Anglais que nous nous efforçons d'imiter. Nous les admirons à tel point que nous nous prenons pour les Anglais d'Amérique latine, de même que nous considérons que les Anglais sont les Chiliens de l'Europe. Lors de la ridicule guerre des Malouines (1982), au lieu d'appuyer les Argentins, qui sont nos voisins, nous avons soutenu les Britanniques, à la suite de quoi le Premier ministre, Margaret Thatcher, devint l'amie intime du sinistre général Pinochet. L'Amérique latine ne nous pardonnera jamais un tel mauvais pas. Sans doute avons-nous certaines choses en commun avec les enfants de la blonde Albion : l'individualisme, les bonnes manières, le sens du *fair play*, l'esprit de classe, l'austérité et une mauvaise denture. (L'austérité britannique n'englobe pas, cela va de soi, la royauté, qui est à l'esprit anglais ce que Las Vegas est au désert Mojave.) Nous sommes fascinés par l'excentricité dont les Britanniques ont l'habitude de se targuer, mais parfaitement incapables de l'imiter, parce que nous avons trop peur du ridicule; en revanche, nous essayons de copier leur apparent sang-froid. Je dis apparent, car dans certaines circonstances, comme par exemple un match de football, les Anglais et les Chiliens perdent également la tête et sont susceptibles de mettre en pièces leurs adversaires. De la même manière, malgré leur réputation d'impartialité, les uns et les autres peuvent être d'une féroce cruauté. Les atrocités commises par les Anglais tout au long de leur histoire sont équivalentes à celles que commettent les Chiliens dès qu'ils ont un bon prétexte et sont assurés d'impunité. Notre histoire est émaillée de démonstrations de barbarie. Ce n'est pas en vain que la devise de la patrie est :

« Par la raison ou par la force », phrase qui m'a toujours paru parfaitement stupide. Pendant les neuf mois de la révolution de 1891, plus de Chiliens sont morts que pendant les quatre années de la guerre contre le Pérou et la Bolivie (1879-1883) : nombre d'entre eux furent tués dans le dos ou torturés, d'autres jetés à la mer avec des pierres attachées aux chevilles. Les méthodes pour faire disparaître les ennemis idéologiques, qu'ont tant appliquées les diverses dictatures latino-américaines dans les années soixante-dix et quatre-vingt du XXe siècle, se pratiquaient au Chili près d'un siècle plus tôt. Cela n'a pas empêché notre démocratie d'être la plus solide et la plus ancienne du continent. Nous nous sentions fiers de l'efficacité de nos institutions, de nos *carabineros* incorruptibles, du sérieux de nos juges et de ce qu'aucun président ne se fût enrichi au pouvoir, bien au contraire : il sortait souvent du Palais de la Monnaie plus pauvre qu'il n'y entrait. A partir de 1973, nous ne nous sommes plus vantés de ces choses.

Outre des Anglais, des Allemands, des Arabes, des Juifs, des Espagnols et des Italiens, sont arrivés sur nos rives des immigrants d'Europe centrale, des scientifiques, des inventeurs, des académiciens, certains de véritables génies que nous appelons des « Yougoslaves », sans distinction de classes.

*

Après la guerre civile d'Espagne sont aussi arrivés des réfugiés qui fuyaient la défaite. En 1939, le gouvernement chilien chargea le poète Pablo Neruda d'affréter un bateau, le *Winnipeg*, lequel quitta Marseille avec un chargement d'intellectuels, d'écrivains, d'artistes, de médecins, d'ingénieurs, de fins artisans. Les familles riches de Santiago accoururent à Valparaiso pour recevoir le bateau et offrir l'hospitalité aux voyageurs. Mon grand-père fut l'un d'eux ; à sa table, il y eut toujours une place pour les amis espagnols qui arrivaient à l'improviste. Moi, je n'étais pas encore née, mais j'ai grandi en entendant les histoires de la guerre civile et les chansons truffées de gros mots de ces anarchistes et républicains passionnés. Ces gens ont secoué la léthargie coloniale du pays avec leurs idées, leurs arts et leurs activités, leurs souffrances et leurs passions, leurs extravagances. L'un de ces réfugiés, un Catalan ami de ma famille, me conduisit un jour voir une linotype. C'était un jeune homme sec, nerveux, au profil d'oiseau furibond, qui ne mangeait pas de légumes parce qu'il considérait que c'était de la nourriture d'ânes, et vivait dans l'obsession de rentrer en Espagne à la mort de Franco, sans se douter que l'homme vivrait quarante ans de plus. Il était typographe de métier et exhalait un mélange d'encre et d'ail. A l'autre bout de la table, je le voyais manger sans appétit et déblatérer contre Franco, les monarchies et les curés, sans que jamais ses yeux se tournent dans ma direction, car il détestait également les enfants et les chiens. Un jour d'hiver, par extraordinaire, le Catalan annonça qu'il allait m'emmener en promenade ; il s'enveloppa dans son grand cache-nez et nous partîmes en silence. Arrivés à un immeuble gris, nous avons franchi une porte métallique et avancé par des couloirs où s'empilaient d'énormes rouleaux de papier. Un bruit assourdissant faisait trembler les murs. Alors je le vis se transformer : son pas se fit léger, ses yeux se mirent à briller, il souriait. Pour la première fois il me toucha. Me prenant par la main, il me conduisit devant une machine extraordinaire, une espèce de locomotrice noire, avec tous ses mécanismes visibles, étripée et rageuse. Il mania ses goupilles et dans un vacarme de guerre les matrices tombèrent, formant les lignes d'un texte.

« Un maudit horloger allemand, émigré aux Etats-Unis, a breveté cette merveille en 1884, me cria-t-il à l'oreille. Elle s'appelle linotype, *line of types*. Avant, il fallait composer le texte en plaçant les caractères à la main, lettre par lettre.

— Pourquoi maudit ? demandai-je en criant aussi.

— Parce que douze ans avant, mon père avait inventé la même machine et il la faisait fonctionner dans sa cour, mais personne n'y a prêté attention », répliqua-t-il.

Le typographe ne retourna jamais en Espagne, il continua à faire fonctionner la machine à mots, se maria, des enfants lui tombèrent du ciel, il apprit à manger des légumes et adopta plusieurs générations de chiens de rues. Il m'a à jamais laissé le souvenir de la linotype et le goût pour l'odeur de l'encre et du papier.

*

Dans la société où je suis née, dans les années quarante, des frontières infranchissables séparaient les classes sociales. Aujourd'hui, ces frontières sont plus subtiles, mais elles existent bel et bien, aussi éternelles que la grande muraille de Chine. S'élever dans l'échelle sociale était autrefois impossible, en descendre était plus fréquent : il suffisait parfois de changer de quartier ou de faire un mauvais mariage, comme on disait non pas de celui qui le faisait avec un rustre ou une sans-cœur, mais avec quelqu'un d'une classe inférieure. L'argent pesait peu. De même qu'on ne descendait pas de classe parce qu'on s'était appauvri, on ne s'élevait pas parce qu'on avait fait fortune, comme ont pu le constater les Arabes et les Juifs ; ils eurent beau s'enrichir, ils ne furent pas pour autant acceptés dans les cercles exclusifs des « gens bien ». Par ce terme se désignaient eux-mêmes ceux qui se trouvaient dans la partie supérieure de la pyramide sociale (sous-entendant, je suppose, que les autres étaient des « gens mal »).

Les étrangers se rendent rarement compte de la manière dont fonctionne ce système de classes choquant, car dans tous les milieux le comportement est aimable et familier. La pire épithète à l'encontre des militaires qui ont pris le pouvoir dans les années soixante-dix était *rotos alzados* (« loqueteux arrogants »). Mes tantes pensaient qu'il n'y avait rien de plus *kitsch* que d'être pinochiste ; elles ne le disaient pas pour critiquer la dictature, avec laquelle elles étaient parfaitement en accord, mais par esprit de classe. Aujourd'hui, rares sont ceux qui osent employer le mot *roto* (« loqueteux ») en public, car il tombe comme un cheveu sur la soupe, mais la plupart l'ont sur le bout de la langue. Notre société est semblable à un mille-feuille, chaque être humain bien à sa place et dans sa classe, marqué par sa naissance. Les gens se présentaient – et il en est toujours ainsi dans la haute société – en donnant leurs deux noms, pour établir leur identité et leur filiation. Nous autres Chiliens avons l'œil bien entraîné pour déterminer la classe à laquelle appartient une personne, par son aspect physique, la couleur de sa peau, ses manières et, tout particulièrement, sa façon de parler. Dans d'autres pays, l'accent varie d'une région à une autre ; au Chili, il change en fonction de la strate sociale. Normalement, nous pouvons aussi deviner immédiatement la sous-classe ; il en existe environ une trentaine, selon les différents niveaux de vulgarité, d'arrivisme, de mauvais goût, d'argent récemment acquis, etc. On sait par exemple où se situe une personne d'après la station balnéaire où elle passe ses vacances.

Le processus de classification automatique, que nous mettons en pratique lorsque nous faisons connaissance, nous les Chiliens, a une appellation : « être situé », qui équivaut à ce que font les chiens lorsqu'ils se reniflent mutuellement le derrière. Depuis 1973, l'année du coup d'Etat militaire qui a changé bien des choses dans ce pays, l'« être situé » s'est un peu compliqué, car il faut aussi deviner, dans les trois premières minutes de conversation, si l'interlocuteur fut pour ou contre la dictature. Actuellement, très peu avouent qu'ils ont été pour, mais de toute façon il convient de vérifier quelle est la position politique de chacun avant d'émettre une opinion tranchée. Il se passe la même chose entre les Chiliens qui vivent à l'étranger, où la question de rigueur est celle-ci : Quand a-t-il quitté le pays ? Si ce fut avant 1973, cela veut dire qu'il est de droite et qu'il a fui le socialisme de Salvador Allende ; s'il est parti entre 1973 et 1978, c'est sûrement un réfugié politique ; mais après cette date, il est possible que ce soit un « exilé économique », comme se qualifient ceux qui ont émigré pour trouver du travail. Cependant, il est plus difficile de le déterminer chez ceux qui sont restés au Chili, en partie parce qu'ils ont pris l'habitude de taire leurs opinions.

Des sirènes au regard tourné vers la mer

Personne ne demande au compatriote qui revient au pays où il était ni ce qu'il a vu ; nous informons immédiatement l'étranger qui arrive en visite que nos femmes sont les plus belles du monde, que notre drapeau a gagné un mystérieux concours international et que notre climat est idyllique. Jugez vous-même : le drapeau est presque semblable à celui du Texas, et ce que notre climat a de plus remarquable, c'est que lorsque la sécheresse sévit dans le Nord, il y a à coup sûr des inondations dans le Sud. Et quand je dis inondations, je parle de déluges bibliques qui font des centaines de morts et ruinent une économie, mais servent à réactiver les mécanismes de la solidarité, qui s'enrayent souvent en temps normaux. Nous, les Chiliens, adorons l'état d'urgence. A Santiago, la température est pire qu'à Madrid, en été nous mourons de chaleur et en hiver de froid, mais personne n'a l'air conditionné ou un système de chauffage décent, parce que personne ne peut le payer et qu'en plus ce serait admettre que le climat n'est pas aussi agréable qu'on le dit. Lorsque l'air devient trop agréable, c'est un signe certain que la terre va trembler. Nous avons plus de six cents volcans, quelques-uns où la lave d'anciennes éruptions est encore tiède; d'autres aux poétiques noms mapuches : Pirepillán, le démon des neiges, Petrohué, lieu de brumes. De temps en temps, ces géants endormis se secouent en rêve dans un long brame, et il semble alors que le monde va exploser. Les experts en tremblements de terre disent que tôt ou tard le Chili disparaîtra enseveli dans la lave ou emporté au fond de la mer par l'une de ces vagues qui se dressent souvent, furieuses, dans le Pacifique, mais j'espère que cela ne découragera pas les touristes potentiels, car la probabilité que cela arrive justement pendant leur visite est assez infime.

Quant à la beauté des femmes, elle exige un commentaire à part. C'est un émouvant compliment au niveau national. Mais à la vérité, je n'ai jamais entendu dire à l'étranger que les Chiliennes soient aussi exceptionnelles que l'affirment mes aimables compatriotes. Elles ne sont pas mieux que les Vénézuéliennes, qui gagnent tous les concours internationaux de beauté, ou que les Brésiliennes qui exposent leurs courbes de mulâtresses sur les plages, pour ne mentionner que deux de nos rivales ; mais d'après la mythologie populaire, depuis des temps immémoriaux les marins désertent les bateaux, attirés par les sirènes aux longs cheveux qui attendent sur nos plages en scrutant la mer. Cette monumentale adulation de nos hommes nous flatte à ce point que, nous les femmes, sommes disposées à leur pardonner bien des choses. Comment leur refuser quoi que ce soit s'ils nous trouvent si belles ? S'il y a quelque chose de vrai dans tout cela, peut-être le charme vient-il d'un mélange de vigueur et de coquetterie auquel peu d'hommes peuvent résister, à ce qu'on dit, bien que cela n'ait absolument pas été mon cas. Mes amis me disent que le jeu amoureux qui consiste en regards, en sous-entendus, à lâcher la bride puis à mettre le frein, est ce qui les rend amoureux, mais je suppose qu'il n'a pas été inventé au Chili, nous l'avons importé d'Andalousie.

J'ai travaillé plusieurs années pour une revue féminine par où sont passées les mannequins les plus sollicitées et les candidates au concours de Miss Chili. Les mannequins étaient en général tellement anorexiques qu'elles restaient la plupart du temps immobiles et le regard fixe, telles des tortues, ce qui les rendait très attirantes, car tout homme qu'on mettait devant elles pouvait imaginer qu'elles étaient bouche bée en le regardant. Ces beautés avaient l'air de touristes : grandes, minces, la peau et les cheveux clairs, sans exception du sang européen coulait dans leurs veines. La Chilienne typique, celle qu'on voit dans la rue, n'est pas ainsi ; c'est une femme métisse, brune et plutôt petite, mais je dois admettre que les nouvelles générations ont grandi. Les jeunes d'aujourd'hui me paraissent très grands (bon, d'accord, je mesure un mètre cinquante...). Presque tous les personnages féminins de mes nouvelles sont inspirés des Chiliennes, que je connais bien, ayant travaillé avec elles et pour elles pendant plusieurs années. Bien plus que les demoiselles de la haute société, avec leurs longues jambes et leur chevelure blonde, m'impressionnent les femmes du peuple, mûres, fortes, travailleuses, terriennes. Dans leur jeunesse, ce sont des amantes passionnées et, plus tard, le pilier de leur famille, bonnes mères et bonnes compagnes d'hommes qui la plupart du temps ne les méritent pas. Elles abritent sous leurs ailes leurs propres enfants et ceux des autres, amis, parents, proches. Elles vivent fatiguées au service d'autrui, restant toujours à l'arrière-plan, dernières parmi les derniers, elles travaillent sans relâche et vieillissent prématurément, mais elles ne perdent ni la capacité de rire d'elles-mêmes, ni le romantisme leur faisant désirer que leur compagnon soit autre, ni la petite flamme de révolte dans le cœur. La plupart ont une vocation de martyres : elles sont les premières à se lever pour servir la famille et les dernières à se coucher ; elles sont fières de souffrir et de se sacrifier. Avec quel plaisir elles soupirent et pleurent en se racontant mutuellement les abus de leurs maris et de leurs enfants !

Les Chiliennes s'habillent simplement, presque toujours en pantalon, elles n'attachent pas leurs cheveux et se maquillent très peu. A la plage ou dans une fête, elles sont toutes pareilles, on dirait des clones. Je me suis mise à feuilleter de vieilles revues, de la fin des années soixante jusqu'à aujourd'hui, et je constate qu'en ce sens elles ont bien peu changé en quarante ans ; je crois que l'unique différence réside dans le volume de la coiffure. Toutes ont une « robe noire », synonyme d'élégance, qui avec peu de variantes les accompagne de la puberté au cercueil. L'une des raisons pour lesquelles je ne vis pas au Chili, c'est que je n'aurais rien à me mettre. Mon armoire renferme suffisamment de voiles, de plumes et de brillants pour habiller toute la troupe du *Lac des cygnes* ; de plus, je me suis teint les cheveux de toutes les couleurs que peut obtenir la chimie, et ne suis jamais sortie de ma salle de bains sans m'être maquillé les yeux. Suivre en permanence un régime est chez nous un symbole de statut, en dépit du fait que dans plusieurs enquêtes les hommes questionnés utilisent des termes comme « moelleuses, avec des lignes courbes, des poignées d'amour », pour décrire comment ils préfèrent les femmes. Nous ne les croyons pas : ils le disent pour nous consoler... C'est pourquoi nous couvrons nos protubérances de longs gilets ou de blouses amidonnées, à l'inverse des femmes des Caraïbes qui exhibent fièrement leur abondante poitrine dans de généreux décolletés et leur postérieur gainé dans du lycra fluorescent. Plus une femme a d'argent, moins elle mange ; la classe supérieure se distingue par sa minceur. En tout cas, la beauté est une question d'attitude. Je me souviens d'une femme qui avait le nez de Cyrano de Bergerac. Vu son peu de succès à Santiago elle partit à Paris, et peu après elle apparut photographiée sur huit pages en couleurs dans la revue de mode la plus sophistiquée, avec un turban sur la tête et... de profil ! Depuis, cette femme dont le nez est « un pic, un cap, que dis-je !, une péninsule », est passée à la postérité comme le plus grand symbole de la beauté tellement vantée de la femme chilienne.

*

Quelques frivoles sont d'avis que le Chili est un matriarcat, trompés sans doute par la formidable personnalité des femmes, qui semblent tenir les rênes dans la société. Elles sont libres et organisées, gardent leur nom de jeune fille lorsqu'elles se marient, revendiquent ensemble dans le domaine du travail ; non seulement elles dirigent leur famille, mais il est également fréquent que ce soit elles qui l'entretiennent. Elles sont plus intéressantes que la plupart des hommes, mais cela n'empêche en rien qu'elles vivent dans un implacable patriarcat. En principe, on ne respecte ni le travail ni l'intelligence d'une femme ; nous devons faire deux fois plus d'effort que n'importe quel homme pour obtenir la moitié moins de reconnaissance. Et que dire dès lors qu'on aborde le domaine de la littérature ! Mais nous n'évoquerons pas ce sujet, car je sens monter ma tension. Les hommes ont le pouvoir économique et politique, qu'ils se passent de l'un à l'autre, comme une course de relais, tandis que les femmes, sauf exceptions, sont tenues à l'écart. Le Chili est un pays machiste : le taux de testostérone flottant dans l'air est si fort que c'est miracle que les femmes n'aient point de poils sur le visage.

Au Mexique, le machisme se vocifère jusque dans les chansons populaires ; chez nous, il est plus discret, mais non moins préjudiciable de ce fait. Les sociologues en ont cherché la cause en remontant jusqu'à la conquête, mais comme il s'agit d'un problème mondial, les racines doivent être beaucoup plus anciennes. Il n'est pas juste de rendre les Espagnols responsables de tout, et je répéterai ce que j'ai lu quelque part. Les Indiens araucans étaient polygames et ils traitaient leurs femmes plutôt rudement : ils les abandonnaient souvent avec leur progéniture pour partir en groupe à la recherche d'autres terrains de chasse, où ils formaient de nouveaux ménages et avaient d'autres enfants, qu'ils abandonnaient également. Les mères se chargeaient tant bien que mal des enfants, et d'une certaine manière cette coutume persiste dans la psyché de notre peuple ; les Chiliennes ont tendance à accepter – sans pour autant pardonner – l'abandon de l'homme, parce qu'il leur apparaît comme un mal endémique, propre à la nature masculine. De leur côté, la plupart des conquistadors espagnols n'ont pas emmené leurs femmes, mais ils se sont accouplés avec les Indiennes, qui à leurs yeux avaient beaucoup moins de valeur qu'un cheval. De ces unions inégales naissaient des filles humiliées qui à leur tour seraient violées, et des garçons qui craignaient et admiraient leur père soldat, irascible, velléitaire, possédant tous les droits, y compris celui de vie et de mort. En grandissant, ils s'identifiaient à lui, jamais à la race vaincue de leur mère. Quelques conquistadors eurent jusqu'à trente concubines, sans compter les femmes qu'ils violaient et abandonnaient sur-le-champ. L'Inquisition s'acharnait contre les Mapuches à cause de leurs coutumes polygames, mais fermait les yeux sur les harems d'Indiennes captives qui accompagnaient les Espagnols, parce que la prolifération des métis signifiait des sujets pour la couronne espagnole et des âmes pour la religion chrétienne. De ces étreintes violentes est issu notre peuple, et jusqu'à ce jour les hommes agissent comme s'ils étaient sur leur cheval en train de regarder le monde d'en haut, commandant et conquérant. Comme théorie, elle n'est pas mal, non ?

Les Chiliennes sont complices du machisme : elles éduquent leurs filles pour servir et leurs fils pour être servis. Tandis que d'un côté elles luttent pour leurs droits et travaillent sans répit, de l'autre elles servent leur mari et leurs fils, secondées par leurs filles, à qui elles inculquent leurs obligations dès l'enfance. Les filles modernes se révoltent, bien sûr, mais dès qu'elles tombent amoureuses elles répètent le même schéma, confondant amour avec servitude. Cela m'attriste de voir ces jeunes filles superbes qui servent leurs fiancés comme s'ils étaient invalides. Non seulement elles leur mettent la nourriture dans l'assiette, mais elles leur proposent aussi de couper leur viande. Elles me font pitié, parce que j'étais comme elles. Il y a peu, un personnage comique eut un grand succès à la télévision : un homme déguisé en femme imitait l'épouse modèle. La pauvre Elvira – c'était son prénom – repassait les chemises, cuisinait des plats très compliqués, faisait les devoirs des enfants, cirait le parquet à la main et, en plus, allait vite se faire une beauté avant que son mari ne rentre, afin qu'il ne la trouvât laide. Elle ne se reposait jamais et était coupable de tout. Elle courait même le marathon dans la rue pour rattraper l'autobus où était monté son mari, afin de lui remettre la mallette qu'il avait oubliée. Le programme faisait rire les hommes à gorge déployée, mais les femmes étaient tellement vexées que l'émission fut supprimée : elles n'aimaient pas se voir reflétées avec une telle fidélité par l'ineffable Elvira.

Mon mari américain, qui dans notre maison se charge de la moitié des tâches ménagères, est scandalisé par le machisme chilien. Quand un homme lave l'assiette qu'il a utilisée à table, il considère qu'il « donne un coup de main » à sa femme ou à sa mère, et s'attend à en être félicité. Parmi nos amitiés chiliennes se trouve toujours une femme qui porte au lit le déjeuner à ses fils adolescents sur un plateau, lave leur linge et fait leur lit. S'il n'y a pas de femme de ménage, c'est la mère qui le fait, ou la sœur, ce qui n'arriverait jamais aux États-Unis. Willie est également scandalisé par l'institution de l'employée domestique. Je préfère ne pas lui raconter que dans les décennies passées les devoirs de ces femmes étaient en général assez intimes, bien qu'on ne parlât jamais de cela : les mères fermaient les yeux, tandis que les pères se vantaient des prouesses du jeune homme dans la chambre de service. C'est un « fils de tigre » disaient-ils, en se rappelant leurs propres expériences. L'idée admise était qu'en se soulageant avec la bonne, le garçon ne dépassait pas les bornes avec une jeune fille de son milieu et, en tout cas, c'était plus sûr avec elle qu'avec une prostituée. Dans les campagnes persistait une version créole du « droit de cuissage », qui dans les temps féodaux permettait au seigneur de violer les fiancées avant leur nuit de noces. Chez nous, la chose n'était pas aussi organisée : le patron couchait avec qui et quand il en avait envie. Ainsi ont-ils semé leurs terres de bâtards ; il y a des régions où pratiquement tout le monde porte le même nom. (L'un de mes ancêtres priait à genoux après chaque viol : « Seigneur, je ne fornique pas par plaisir ou par vice, mais pour donner des enfants à ton service... ») Aujourd'hui, les bonnes se sont tellement émancipées que les patronnes préfèrent embaucher des émigrées illégales du Pérou, qu'elles peuvent encore maltraiter comme elles le faisaient autrefois avec les Chiliennes.

En matière d'éducation et de santé, les femmes sont égales ou supérieures aux hommes, mais il n'en n'est pas de même en ce qui concerne les chances et le pouvoir politique. La norme, dans le domaine du travail, est qu'elles fassent les tâches pénibles et qu'ils commandent. Rares sont celles qui occupent les hauts postes du gouvernement, de l'industrie, des entreprises privées ou publiques : elles butent contre un obstacle qui leur interdit d'atteindre la cime. Quand l'une d'entre elles atteint un niveau élevé, disons ministre du gouvernement ou gérante d'une banque, c'est un motif d'étonnement et d'admiration. Depuis une dizaine d'années, cependant, l'opinion publique a adopté une perception positive des femmes en tant que leaders politiques ; elle les voit comme une alternative viable, car elles ont prouvé qu'elles étaient plus honnêtes, plus efficaces et plus travailleuses que les hommes. Vous parlez d'une découverte ! Lorsqu'elles s'organisent elles ont une grande influence, mais ne paraissent pas avoir conscience de leur propre force. Pendant le gouvernement de Salvador Allende, on a vu les femmes de droite sortir et frapper sur des casseroles pour protester contre le manque d'approvisionnement et lancer des plumes de poulets sur l'École militaire, appelant les soldats à la subversion. Elles ont contribué de la sorte à provoquer le coup d'Etat. Des années plus tard, d'autres femmes ont été les premières à sortir dans la rue pour dénoncer la répression des militaires, affrontant jets d'eau, coups de bâton et tirs. Elles ont constitué un groupe puissant appelé « Femmes pour la Vie », qui a joué un rôle fondamental dans le renversement de la dictature, mais après les élections elles ont décidé de dissoudre le mouvement. Une fois de plus, elles ont cédé leur pouvoir aux hommes.

Je dois préciser que les Chiliennes, si peu agressives lorsqu'il s'agit de se battre pour le pouvoir politique, sont de véritables guerrières en ce qui concerne l'amour. Amoureuses, elles sont fort dangereuses. Et, disons-le, elles tombent très souvent amoureuses. D'après les statistiques, cinquante-huit pour cent des femmes mariées sont infidèles. Il me vient à l'idée que très souvent les couples opèrent un échange : tandis que l'homme séduit l'épouse de son meilleur ami, sa propre femme batifole dans le même motel avec ce même ami. Au temps de la colonie, lorsque le Chili dépendait du vice-royaume de Lima, un curé dominicain envoyé par l'Inquisition arriva du Pérou pour accuser des dames de la société de pratiquer le sexe oral avec leurs époux (comment donc s'en était-il enquis ?). Le jugement ne conduisit nulle part, parce que les dames en question ne se laissèrent pas clouer le bec. Cette nuit-là elles envoyèrent leurs maris, qui vaille que vaille avaient participé au péché – mais eux, personne ne les jugeait –, pour dissuader l'inquisiteur. Ces derniers le surprirent dans une ruelle sombre, et sans autre forme de procès le castrèrent comme un jeune taureau. Le pauvre dominicain repartit à Lima sans testicules et on ne parla plus de l'affaire.

Sans aller jusqu'à de tels extrêmes, j'ai un ami qui n'arrivait pas à se débarrasser d'une maîtresse passionnée ; un jour, pendant la sieste, il finit par s'enfuir alors qu'elle était endormie. Il avait empaqueté quelques affaires dans un sac à dos et courait dans la rue après un taxi lorsqu'il sentit un ours lui tomber sur le dos et le plaquer de tout son long par terre, où il resta aplati comme une blatte : c'était sa maîtresse, qui le poursuivait entièrement nue, en poussant des hurlements. Des maisons du quartier sortirent des curieux pour jouir du spectacle. Les hommes observaient, amusés, mais dès que les femmes eurent compris de quoi il retournait, elles aidèrent à maintenir à terre mon ami fugitif. Finalement, elles le portèrent à plusieurs à bout de bras, et le remirent dans le lit qu'il avait abandonné pendant la sieste.

Je peux donner près de trois cents exemples de la sorte, mais je suppose que celui-ci est plus que suffisant.

En priant Dieu

Ce que je viens de raconter sur ces dames de l'époque coloniale qui défièrent l'Inquisition est exceptionnel dans notre histoire, car en réalité le pouvoir de l'Église catholique est incontestable, et aujourd'hui, avec l'apogée des mouvements intégristes catholiques tels que l'Opus Dei et les Légionnaires du Christ, c'est bien pire.

Les Chiliens sont religieux, bien que leur pratique tienne davantage du fétichisme et de la superstition que de la préoccupation mystique ou de la connaissance théologique. Personne ne se dit athée, même les communistes de pure souche, car ce vocable est considéré comme une insulte ; on lui préfère le mot agnostique. En général, même les plus incrédules se convertissent sur leur lit de mort, vu qu'ils risquent gros s'ils ne le font pas et qu'une confession de dernière heure ne fait de mal à personne. Cette compulsion spirituelle trouve sa source dans la terre même : un peuple qui vit au milieu des montagnes tourne logiquement les yeux vers le ciel. Les manifestations de foi sont impressionnantes. Convoqués par l'Église, des milliers et des milliers de jeunes sortent en longues processions avec des cierges et des fleurs, louant la Vierge Marie ou réclamant la paix à tue-tête avec le même enthousiasme que, dans d'autres pays, ils poussent des cris dans les concerts de rock. Le rosaire en famille et le mois de Marie avaient en général un franc succès, mais de nos jours les séries télévisées ont gagné plus d'adeptes.

Bien sûr, les ésotériques n'ont jamais manqué dans ma famille. L'un de mes oncles a passé soixante-dix ans de sa vie à prêcher la rencontre avec le néant ; il a de nombreux disciples. Si dans ma jeunesse je l'avais écouté, aujourd'hui je ne serais pas en train d'étudier le bouddhisme et d'essayer en vain de me tenir debout sur la tête dans un cours de yoga. Cette tante centenaire et démente déguisée en bonne sœur, qui tentait de remettre les prostituées de la rue Maipú dans le droit chemin, n'arrivait pas à la cheville, en matière de sainteté, d'une sœur de ma grand-mère à qui poussèrent des ailes. Ce n'étaient pas des ailes avec des plumes dorées, comme celles des anges de la Renaissance, qui auraient attiré l'attention, mais de discrets petits moignons sur les épaules, diagnostiqués de façon erronée par les médecins comme une déformation des os. Parfois, selon la manière dont la lumière tombait sur elle, nous pouvions voir son auréole, telle une soucoupe de lumière flottant au-dessus de sa tête. J'ai raconté son histoire dans les *Contes d'Eva Luna*, et ce n'est pas le lieu de la répéter ; il suffit de dire que, contrairement à la tendance généralisée à se plaindre de tout propre aux Chiliens, elle était toujours contente, bien qu'elle eût connu un destin tragique. Chez une autre personne, cette attitude de bonheur injustifié eût été impardonnable, mais chez cette femme transparente, c'était parfaitement supportable. J'ai toujours sa photographie sur ma table de travail, afin de la reconnaître lorsqu'elle entre en cachette dans les pages d'un livre ou m'apparaît dans un coin ou un autre de la maison.

Au Chili abondent les saints de tous poils, ce qui n'a rien de surprenant, car c'est le pays le plus catholique au monde, plus que l'Irlande et certainement bien plus que le Vatican. Il y a quelques années, nous avons eu une pucelle très ressemblante, par l'allure, à la statue de saint Sébastien le Martyr, qui réalisait des guérisons remarquables. La presse, la télévision et une multitude de pèlerins lui tombèrent dessus, ne la laissant pas une minute en paix. Lorsqu'on l'examina de près, il s'avéra que c'était un travesti, mais cela ne diminua en rien son prestige ni ne mit fin aux prodiges, bien au contraire. A tout instant nous

nous réveillons avec l'annonce qu'un autre saint ou un nouveau Messie est apparu, ce qui attire toujours des foules pleines d'espoir. Dans les années soixante-dix, j'ai dû faire un reportage sur le cas d'une jeune fille à qui l'on attribuait des prophéties, le don de guérir les animaux et de réparer les moteurs en panne sans les toucher. L'humble cabane où elle vivait ne désemplissait pas de paysans qui accouraient chaque jour, toujours à la même heure, pour assister à ces discrets miracles. Ils assuraient qu'une invisible pluie de pierres tombait sur le toit de la cabane avec un tambourinement de fin du monde, que la terre tremblait et que la fille entrait en transe. J'eus l'occasion d'assister à deux de ces événements et j'ai constaté la transe, pendant laquelle la sainte acquérait l'extraordinaire force physique d'un gladiateur, mais je ne me souviens pas que des rochers soient tombés du ciel ou que le sol ait tremblé. Il est possible, comme l'expliqua un prédicateur évangélique de l'endroit, que cela ne soit pas arrivé en raison de ma présence : j'étais une mécréante capable de ruiner jusqu'au plus légitime miracle. Toujours est-il que l'affaire parut dans les journaux et que l'intérêt populaire pour la sainte monta d'un ton, jusqu'à ce que l'armée débarquât et y mît fin à sa manière. Dix ans plus tard j'inclus cette histoire dans l'un de mes romans.

Les catholiques constituent la majorité dans le pays, bien qu'il y ait de plus en plus d'évangélistes et de pentecôtistes, qui irritent tout le monde parce qu'ils s'entendent directement avec Dieu, tandis que les autres doivent passer par la bureaucratie sacerdotale. Les mormons, qui sont eux aussi nombreux et très puissants, aident leurs adeptes à la manière d'une véritable agence de l'emploi, comme le faisaient autrefois les membres du parti radical. Pour le reste, on compte des juifs, de rares musulmans et, parmi ceux de ma génération, les spiritualistes de l'Ere Nouvelle, un cocktail d'écologie, de christianisme, de pratiques bouddhistes, quelques rites récemment sauvés des réserves indigènes et l'accompagnement habituel de gourous, astrologues, psys et autres guides de l'âme. Depuis que le système de santé a été privatisé et que les médicaments sont devenus un commerce immoral, la médecine folklorique et orientale, les *machis* ou *meicas*, les chamans indigènes, l'herbier autochtone et les guérisons miraculeuses se sont en partie substitués à la médecine traditionnelle, avec des résultats identiques. La moitié de mes amis sont entre les mains d'un psy qui dirige leur destin et les garde en bonne santé en purifiant leur aura, en leur imposant les mains ou en les emmenant dans des voyages astraux. La dernière fois que je suis allée au Chili, un ami qui suit des études pour devenir guérisseur m'a hypnotisée et fait revivre plusieurs incarnations. Il ne fut pas facile de revenir au présent, parce que mon ami n'avait pas encore terminé sa formation, mais l'expérience en valait la peine, car j'ai découvert que je n'avais pas été Gengis Khan dans des vies antérieures, comme le croit ma mère.

Je n'ai pas réussi à me libérer totalement de la religion et, face au moindre embarras, la première chose qui me vient à l'esprit est de prier, au cas où, comme le font tous les Chiliens, y compris les athées – pardon, les agnostiques. Disons que j'ai besoin d'un taxi ; l'expérience m'a montré qu'il suffit d'un Notre Père pour le faire apparaître. A une époque, entre mon enfance et mes quinze ans, j'ai nourri la fantaisie de devenir bonne sœur, pour dissimuler le fait que je ne trouverais sûrement jamais de mari, et je n'ai pas écarté cette idée ; il m'arrive encore d'avoir la tentation de finir mes jours dans la pauvreté, le silence et la solitude dans un ordre bénédictin ou un monastère bouddhiste. Les subtilités théologiques importent peu, ce qui me plaît, c'est le style de vie. Malgré mon incorrigible frivolité, l'existence monastique me paraît attrayante. A quinze ans je me suis pour toujours éloignée de l'Église et j'ai pris en horreur les religions en général et les monothéistes en particulier. Je ne suis pas seule de mon espèce, beaucoup de femmes de mon âge, militantes de la libération féminine, ne se sentent pas non plus à l'aise dans les religions patriarcales – y en a-t-il une qui ne le soit pas ? – et elles ont dû inventer leurs propres cultes, encore qu'au Chili ceux-ci aient toujours une coloration chrétienne. Une personne a beau se déclarer animiste, il y aura toujours une croix dans sa maison, à moins qu'elle ne la porte au cou. Ma religion, au cas où cela intéresserait quelqu'un, se réduit à une simple question : *qu'est-ce qu'on peut faire de plus généreux dans cette circonstance ?* Si la question ne s'applique pas, j'en ai une autre : *qu'en penserait mon grand-père ?* N'empêche qu'en cas de besoin, je me signe.

*

J'avais l'habitude de dire que le Chili est un pays fondamentaliste, mais après avoir constaté les excès des talibans, je dois modérer mon jugement. Peut-être ne sommes-nous pas fondamentalistes, mais peu s'en faut. Nous avons eu la chance, c'est indéniable, qu'à la différence de ce qui se passe dans d'autres pays latino-américains, l'Église catholique – à quelques lamentables exceptions près – a presque toujours été du côté des pauvres, ce qui lui a valu un profond respect et une immense sympathie. Sous la dictature, nombreux furent les curés et les religieuses qui ont assumé la tâche d'aider les victimes de la répression, et ils l'ont payé cher. Comme l'a dit Pinochet en 1979 : « Les seuls qui pleurent après la restauration de la démocratie au Chili sont les politiciens et un prêtre ou deux. » (C'était l'époque où, d'après les généraux, le Chili jouissait d'une « démocratie totalitaire ».)

Le dimanche, les églises se remplissent et le pape est vénéré, même si pratiquement personne ne tient compte de son avis en matière de contraceptifs, partant du principe qu'un vieux célibataire, qui n'a pas besoin de gagner sa vie, ne peut être un expert en cette délicate affaire. La religion est colorée et ritualiste. Nous n'avons pas de carnavals, mais nous avons en revanche des processions. Chaque saint se distingue par sa spécialité, comme les dieux de l'Olympe : rendre la vue aux aveugles, punir les maris infidèles, trouver un fiancé, protéger les conducteurs de véhicules ; mais le plus populaire est sans doute le père Hurtado, qui n'est pas encore saint, mais nous espérons tous qu'il le sera bientôt, bien que le Vatican ne se caractérise pas par la célérité dans ses décisions. Ce prêtre extraordinaire a fondé une œuvre appelée « Le Foyer du Christ », une entreprise qui est aujourd'hui multimillionnaire et se consacre exclusivement à aider les pauvres. Le père Hurtado est tellement miraculeux qu'il n'a que rarement omis d'accomplir une chose que je lui avais demandée, moyennant le paiement d'une juste rétribution à ses œuvres de charité ou un sacrifice important. Je dois être l'une des rares personnes vivantes qui aient entièrement lu les trois tomes de l'éternelle épopée *La Auracana*, en espagnol ancien et vers rimés. Je ne l'ai fait ni par curiosité ni pour paraître cultivée, mais pour accomplir une promesse faite au père Hurtado. Cet homme au cœur noble affirmait que la crise morale survient lorsque les catholiques qui vivent dans l'opulence vont à la messe, mais refusent un salaire digne à leurs ouvriers. Ces paroles devraient être imprimées sur les billets de mille pesos, afin qu'on ne les oublie jamais.

Il existe aussi plusieurs représentations de la Vierge Marie, qui sont rivales entre elles ; les fidèles de la Vierge du Carmel, patronne des Forces armées, considèrent la Vierge de Lourdes ou la Tirana comme inférieures, sentiment que les dévots de ces dernières rendent à la première avec d'égales finesses. A propos de la Tirana, il est important de signaler que sa fête se célèbre en été dans un sanctuaire près de la ville d'Iquique, dans le Nord, où les groupes de dévots dansent en son honneur. Cela rappelle un peu l'idée qu'on se fait du carnaval brésilien, toutes proportions gardées, car, comme je l'ai déjà dit, les Chiliens ne sont pas des gens extrovertis. Les écoles de danse se préparent toute l'année en répétant les chorégraphies et en confectionnant les costumes, et le jour dit elles dansent devant la Tirana, déguisées, par exemple, en Batman. Les jeunes filles exhibent des décolletés révélateurs, des minijupes qui leur couvrent à peine le derrière et des chaussures à talons hauts. Il n'est donc pas étonnant que l'Église ne favorise pas ces démonstrations de foi populaire.

Le nombre et la variété des saints à célébrer ne suffisent pas ; nous comptons en plus sur une savoureuse tradition orale d'esprits malins, d'interventions du démon, de morts qui sortent de leurs tombes. Mon grand-père jurait que le diable lui était apparu dans un autobus et qu'il l'avait reconnu parce qu'il avait des pattes vertes de bouc.

*

A Chiloé, un archipel au sud du pays, en face de Puerto Montt, on raconte des histoires de sorcières et de monstres maléfiques ; celle de la Pincoya, une belle demoiselle qui sort de l'eau pour attraper les hommes imprudents ; celle du *Caleuche*, un bateau ensorcelé qui emporte les défunts. Les nuits de pleine lune brillent des lumières qui indiquent les endroits où sont cachés des trésors. On dit qu'à Chiloé a longtemps existé un gouvernement de sorciers, appelé *La Recta Provincia*, « La Droite Province », qui la nuit se réunissait dans des grottes. Les gardiens de ces grottes étaient les *imbunches*, effrayantes créatures qui se nourrissent de sang, à qui les sorciers ont brisé les os, cousu les paupières et l'anus. L'imagination chilienne pour la cruauté ne cessera jamais de me stupéfier…

Chiloé a une culture différente de celle du reste du pays, et ses habitants sont si fiers de leur isolement qu'ils s'opposent à la construction d'un pont qui unirait la grande île à Puerto Montt. C'est un endroit tellement extraordinaire que tous les Chiliens et touristes devraient le visiter au moins une fois, même au risque d'y demeurer à jamais. Les Chilotes vivent comme il y a cent ans, se consacrant à l'agriculture, à la pêche artisanale et à l'industrie du saumon. Les constructions sont entièrement en bois et, au centre de chaque maison, il y a toujours un grand poêle à bois, allumé jour et nuit pour cuisiner et donner de la chaleur à la famille, aux amis et ennemis réunis autour. L'odeur de ces maisons en hiver est un souvenir ineffaçable : bois parfumé et ardent, laine mouillée, soupe qui mijote dans le chaudron… Les Chilotes furent les derniers à se plier à la République quand le Chili déclara son indépendance, et en 1826 ils voulurent se rattacher à la couronne d'Angleterre. Ils disent que « La Droite Province », attribuée aux sorciers, fut en réalité un gouvernement parallèle, du temps où les habitants refusaient d'accepter l'autorité de la république chilienne.

*

Ma grand-mère Isabel ne croyait pas aux sorcières, mais je ne serais pas étonnée qu'elle eût un jour essayé de voler sur un balai, car elle a passé sa vie à pratiquer des phénomènes paranormaux et à essayer de communiquer avec l'Au-delà, activité que l'Église catholique, à cette époque, regardait d'un très mauvais œil. D'une manière ou d'une autre, cette bonne dame s'est débrouillée pour attirer des forces mystérieuses qui faisaient bouger la table lors de ses séances de spiritisme. Cette table est aujourd'hui chez moi après avoir fait plusieurs fois le tour du monde, en suivant mon beau-père dans sa carrière diplomatique, et s'être perdue pendant les années d'exil. Ma mère l'a récupérée grâce à une ruse et me l'a expédiée par avion en Californie. Il aurait coûté moins cher d'envoyer un éléphant, car il s'agit d'un meuble espagnol en bois sculpté, lourd, avec un énorme pied au centre formé par quatre lions féroces. Il faut trois hommes pour la soulever. J'ignore quel était le truc de ma grand-mère pour la faire danser dans la pièce en l'effleurant légèrement de l'index. Cette dame convainquit sa descendance qu'après sa mort elle viendrait en visite lorsqu'on l'appellerait, et je suppose qu'elle a tenu sa promesse. Je ne pense pas que son fantôme, ou un autre, m'accompagne tous les jours – je suppose qu'il a des choses plus importantes à faire –, mais j'aime bien l'idée qu'il soit prêt à accourir en cas d'impérieuse nécessité.

Cette excellente femme affirmait que nous possédons tous des pouvoirs psychiques, mais que, comme nous ne les utilisons pas, ils s'atrophient – à l'instar des muscles – et finalement disparaissent. Je dois préciser que ses expériences parapsychologiques n'ont jamais constitué une activité macabre : pas de chambres obscures, de candélabres mortuaires ou de musique d'orgue, comme en Transylvanie. La télépathie, la capacité de mouvoir des objets sans les toucher, la clairvoyance ou la communication avec les âmes de l'Au-delà survenaient à n'importe quelle heure du jour et de la façon la plus inattendue. Par exemple, ma grand-mère ne faisait pas confiance aux téléphones, qui furent une calamité au Chili jusqu'à l'invention du téléphone portable, mais elle utilisait en revanche la télépathie pour dicter des recettes de tarte aux pommes aux trois sœurs Morla, ses amies de la Blanche Fraternité qui vivaient à l'autre bout de la ville. Toutes quatre étant de très mauvaises cuisinières, elles n'ont jamais pu vérifier si la méthode fonctionnait. La Blanche Fraternité était constituée par ces dames excentriques et mon grand-père, qui ne croyait à rien de cela, mais qui insistait pour accompagner sa femme afin de la protéger en cas de danger. Sceptique par nature, l'homme n'accepta jamais la possibilité que les âmes des morts fassent bouger la table ; cependant, quand sa femme suggéra que ce n'étaient peut-être pas des âmes, mais des extraterrestres, c'est avec enthousiasme qu'il accepta l'idée, car l'explication lui parut plus scientifique.

Il n'y a rien d'étrange dans tout cela. La moitié du Chili se fie à l'horoscope, aux diseuses de bonne aventure ou aux vagues pronostics du *Yi-king*, l'autre moitié porte des cristaux autour du cou ou étudie le *feng-shui*. Dans le cabinet de consultation sentimentale de la télévision, on résout les problèmes au moyen du tarot. La plupart des anciens révolutionnaires de la gauche militante s'adonnent aujourd'hui à des pratiques spirituelles. (Entre la guérilla et l'ésotérisme il y a un pas dialectique que je ne parviens pas à préciser.) Les séances de ma grand-mère me paraissent plus raisonnables que les promesses aux saints, les achats d'indulgences pour gagner le ciel, ou les pèlerinages des bigotes locales dans des autobus pleins à craquer. Bien des fois j'ai entendu dire que ma grand-mère déplaçait le sucrier sans le toucher, par sa seule force mentale. Je ne suis pas sûre d'avoir un jour assisté à cette prouesse, ou est-ce d'en avoir tellement entendu parler que j'ai fini par me convaincre qu'elle est vraie ? Je ne me souviens pas du sucrier, mais il me semble qu'il y avait une clochette en argent avec un prince efféminé au sommet, qu'on utilisait dans la salle à manger pour appeler la bonne entre chaque plat. Je ne sais si j'ai rêvé l'épisode, si je l'ai inventé ou s'il est vraiment arrivé : je vois la clochette glisser silencieusement sur la nappe, comme si le prince avait repris vie, faire un tour olympique, à la stupeur des convives, et revenir auprès de ma grand-mère, à la tête de la table. Cela m'arrive avec de nombreux événements et anecdotes de mon existence qu'il me semble avoir vécus, et qui, lorsque je les couche sur le papier et les confronte à la logique, se révèlent assez peu vraisemblables, mais cela ne m'inquiète pas. Qu'importe en réalité qu'ils se soient vraiment passés ou que je les ai imaginés ? De toute façon, la vie est un rêve.

*

Je n'ai pas hérité des pouvoirs psychiques de ma grand-mère, mais elle m'a ouvert l'esprit aux mystères de ce monde. J'admets que tout est possible. Elle soutenait qu'il existe de multiples dimensions de la réalité et qu'il n'est pas prudent de ne faire confiance qu'à la raison et à nos sens limités pour comprendre la vie ; il existe d'autres instruments de perception, tels que l'instinct, l'imagination, les rêves, les émotions, l'intuition. Elle m'a initiée au réalisme magique bien avant que ce qu'on appelle le « boom de la littérature latino-américaine » ne le mît à la mode. Cela m'a servi dans mon travail, car j'affronte chaque livre selon le même critère qu'elle utilisait au cours de ses séances : en appelant les esprits avec délicatesse, pour qu'ils me racontent leur vie. Les personnages littéraires, comme les apparitions de ma grand-mère, sont des êtres fragiles et craintifs ; ils doivent être traités avec prudence, afin de se sentir à l'aise dans les pages.

Apparitions, tables qui bougent toutes seules, saints miraculeux et diables aux pattes vertes dans l'autobus rendent la vie et la mort plus intéressantes. Les âmes en peine ne connaissent pas de frontières. J'ai un ami au Chili qui se réveille toutes les nuits avec la visite d'Africains grands et maigres, vêtus de tuniques et armés de lances, que lui seul peut voir. Sa femme, qui dort à côté de lui, n'a jamais vu les Africains, seulement deux dames anglaises de l'an mille huit cent qui traversent les portes. Une autre de mes amies de Santiago, chez qui les lampes tombaient mystérieusement et les chaises se renversaient, découvrit que la cause en était les os d'un géographe danois exhumé dans sa cour, avec ses cartes et son carnet de notes. Comment le pauvre défunt est-il arrivé si loin de chez lui ? Nous ne le saurons jamais, mais le fait est qu'après avoir récité plusieurs neuvaines et fait dire quelques messes à sa mémoire, le malheureux géographe s'en est allé. Il semble qu'il était calviniste ou luthérien, de son vivant, et que les rites papistes ne lui aient pas plu.

Ma grand-mère affirmait encore que l'espace est rempli de présences, les morts mêlés aux vivants. C'est une idée formidable, et c'est pourquoi mon mari et moi avons fait construire dans le nord de la Californie une grande maison aux plafonds hauts, avec des poutres et des arcs, qui invite les fantômes de plusieurs époques et latitudes, particulièrement ceux du Sud. Dans une tentative d'imiter la grande demeure de mes grands-parents, nous l'avons détériorée par un travail pénible et onéreux consistant à attaquer les portes à coups de marteau, à tacher les murs de peinture, à oxyder les métaux avec de l'acide et à piétiner les plantes du jardin. Le résultat est assez convaincant ; je crois que plus d'une âme distraite peut s'installer chez nous, trompée par l'aspect de la propriété. Pendant la période où nous nous efforcions de la vieillir de plusieurs siècles, les voisins observaient de la rue, bouche bée, sans comprendre pourquoi nous avions fait construire une maison neuve si nous en voulions une vieille. La raison en est qu'en Californie le style colonial chilien n'existe pas, et que rien en tout cas n'y est vraiment ancien. N'oublions pas qu'avant 1849 San Francisco n'existait pas, à sa place il y avait un village appelé Yerba Buena, habité par une poignée de Mexicains et de mormons, où les seuls visiteurs étaient des trafiquants de peaux. C'est la fièvre de l'or qui a attiré les foules. Dans cette région, une maison ayant l'apparence de la nôtre est une impossibilité historique.

Le paysage de l'enfance

Il est très difficile de définir ce qu'est une famille chilienne typique, mais je peux dire, sans crainte de me tromper, que la mienne ne l'était pas. Je n'ai pas non plus été une jeune fille typique, d'après les préceptes du milieu où j'ai grandi ; je me suis comme qui dirait sauvée encore toute couverte de savon. Je vais un peu décrire ma jeunesse, pour voir si ce faisant j'éclaire quelques aspects de la société de mon pays, à cette époque beaucoup moins tolérante qu'aujourd'hui, ce qui n'est pas peu dire. La Seconde Guerre mondiale a été un cataclysme qui a secoué le monde et tout changé, depuis la géopolitique et la science jusqu'à l'art, la culture et les habitudes. De nouvelles idées ont balayé sans ménagement celles qui avaient étayé la société au cours des siècles précédents, mais les innovations mettaient du temps à naviguer sur deux océans ou traverser le mur infranchissable de la cordillère des Andes. Tout arrivait au Chili avec plusieurs années de retard.

Ma grand-mère voyante mourut subitement de leucémie. Elle ne lutta pas pour vivre mais, très curieuse de voir le ciel, s'abandonna à la mort avec enthousiasme. Pendant son existence en ce monde, elle eut la chance d'être aimée et protégée par son mari, qui supporta ses extravagances avec bonne humeur ; sinon, peut-être aurait-elle terminé ses jours recluse dans un asile de fous. J'ai lu quelques lettres qu'elle a laissées, écrites de sa main, où elle apparaît comme une femme mélancolique, ayant une fascination morbide pour la mort ; pourtant, je garde d'elle le souvenir d'un être lumineux, ironique et plein d'envie de vivre. Son absence fut ressentie comme un vent de catastrophe, la maison entra en deuil et moi, j'appris à avoir peur. Je redoutais le diable qui apparaissait dans les miroirs, les fantômes qui déambulaient dans les coins, les souris à la cave, j'avais peur que ma mère meure et que je me retrouve dans un orphelinat, que mon père – cet homme dont on ne pouvait prononcer le nom – apparaisse et qu'il m'emmène au loin, de commettre des péchés et d'aller en enfer, des gitanes et des croque-mitaines dont me menaçait la bonne d'enfants ; bref, la liste était interminable, il y avait des tas de raisons de vivre dans la terreur.

Furieux de se voir abandonné par le grand amour de sa vie, mon grand-père s'habilla de noir de pied en cap, peignit les meubles de la même couleur et interdit les fêtes, la musique, les fleurs et les desserts. Il passait la journée à son bureau, déjeunait dans le centre, dînait au club de l'Union et, en fin de semaine, jouait au golf et à la pelote basque, ou allait skier à la montagne. Il fut l'un de ceux qui ont introduit ce sport à l'époque où monter jusqu'aux pistes était une odyssée équivalant à l'escalade de l'Everest ; jamais il n'imagina que le Chili serait un jour la Mecque des sports d'hiver, où s'entraînent les équipes olympiques du monde entier. Nous ne le voyions que quelques minutes très tôt le matin, et il fut pourtant déterminant dans ma formation. Avant de partir à l'école, mes frères et moi passions le saluer ; il nous recevait dans sa chambre aux meubles funèbres qui sentait un savon anglais de la marque Lifebuoy. Jamais il ne nous a câlinés – il considérait cela malsain –, mais un mot d'approbation de sa part valait n'importe quel effort. Plus tard, vers sept ans, quand j'ai commencé à lire le journal et à poser des questions, il a remarqué ma présence, et c'est ainsi qu'a débuté une relation qui allait se prolonger jusqu'après sa mort, car aujourd'hui encore je porte l'empreinte de sa main sur mon caractère et me nourris des anecdotes qu'il m'a racontées.

Mon enfance n'a pas été joyeuse, mais assurément intéressante. Je ne m'ennuyais pas grâce aux livres de mon oncle Pablo, qui à cette époque était encore célibataire et vivait avec nous. C'était un lecteur impénitent ; ses livres s'empilaient par terre, couverts de poussière et de toiles d'araignées. Il les volait sans le moindre remords dans les librairies, chez ses amis, considérant que tout matériel imprimé – hormis le sien – était patrimoine de l'humanité. Il m'autorisait à les lire, car il avait projeté de me transmettre son vice de la lecture à n'importe quel prix : il me fit cadeau d'une poupée lorsque j'eus terminé de lire *Guerre et Paix*, un gros livre écrit tout petit. Il n'y avait pas de censure dans cette maison, mais mon grand-père ne permettait pas que la lumière reste allumée dans ma chambre après neuf heures du soir, raison pour laquelle mon oncle Pablo me fit cadeau d'une lampe de poche. Les meilleurs souvenirs de ces années sont les livres que j'ai lus sous les draps à la lumière de ma torche. Comme tous les enfants chiliens, je lisais les romans d'Emilio Salgari et de Jules Verne, le Trésor de la Jeunesse et des collections de petits romans édifiants, qui élevaient l'obéissance et la pureté au premier rang des vertus ; et aussi la revue *El Peneca*, qui paraissait chaque semaine, le mercredi. Dès le mardi je l'attendais à la porte, pour éviter qu'elle ne tombe entre les mains de mes frères avant d'arriver dans les miennes. Cela, je le dévorais en apéritif, avant d'avaler des plats plus succulents, tels *Anna Karénine* et *Les Misérables*. En dessert, je savourais des contes de fées. Ces livres fantastiques m'ont permis d'échapper à la réalité plutôt sordide de cette maison en deuil, où les enfants, comme les chats, étaient une gêne.

*

Ma mère, redevenue jeune célibataire grâce à l'annulation de son mariage, et vivant à l'ombre de son père, comptait quelques admirateurs, une douzaine ou deux d'après moi. Outre qu'elle était belle, elle avait cet aspect éthéré et vulnérable de certaines jeunes filles d'autrefois, complètement disparu à notre époque où les femmes font des poids et haltères. Sa fragilité était très attirante, car même le plus chétif des hommes se sentait fort à côté d'elle. Elle était l'une de ces femmes qu'on a envie de protéger, exactement le contraire de moi, qui suis un véritable tank en marche. Au lieu de s'habiller de noir et de pleurer l'abandon de son mari frivole, comme on l'attendait d'elle, elle essayait de s'amuser dans la mesure du possible, qui était fort réduite, car en ce temps-là les femmes ne pouvaient aller seules dans un salon de thé, et moins encore au cinéma. La censure classait les films de quelque intérêt comme « non recommandables pour les jeunes filles », ce qui signifiait que celles-ci ne pouvaient les voir qu'en compagnie d'un homme de la famille, lequel prenait la responsabilité du tort moral que le spectacle pourrait causer à la psyché féminine impressionnable. Quelques photos de ces années-là ont été conservées, où ma mère apparaît comme une sœur cadette d'Ava Gardner. Elle avait une beauté sans artifices : la peau lumineuse, le rire facile, des traits classiques et une grande élégance naturelle, plus de raisons qu'il n'en fallait aux mauvaises langues pour ne pas la laisser en paix. Si ses prétendants platoniques effrayaient l'hypocrite société de Santiago, imaginez le scandale que ce fut lorsqu'on apprit ses amours avec un homme marié, père de quatre enfants et neveu d'un évêque.

Parmi les nombreux candidats, ma mère choisit le plus laid de tous. Ramón Huidobro ressemblait à un crapaud vert, mais le baiser d'amour le transforma en prince, comme dans le conte, et je peux maintenant jurer qu'il est beau. Les relations clandestines avaient toujours existé – nous Chiliens sommes experts en la matière –, mais cette romance n'avait rien de clandestin, et rapidement elle devint un secret de Polichinelle. Devant l'impossibilité de dissuader sa fille ou d'empêcher le scandale, mon grand-père décida de prendre les devants et il invita l'amant à venir vivre sous son toit, défiant l'Église et la société tout entière. L'évêque en personne vint remettre les choses en bon ordre, mais mon grand-père le reconduisit aimablement à la porte, en le prenant par le bras, arguant qu'il était assez grand pour s'occuper lui-même de ses péchés et de ceux de sa fille. Avec le temps, cet amant allait devenir mon beau-père, l'incomparable *oncle* Ramón, l'ami, le confident, mon seul et véritable père ; mais lorsqu'il vint vivre chez nous, je le considérai comme mon ennemi et me mis en devoir de lui rendre la vie impossible. Cinquante ans plus tard, il affirme que ce n'est pas certain, que jamais je ne lui ai déclaré la guerre ; mais il le dit par pure noblesse, pour soulager ma conscience, car je me souviens très bien de mes plans pour le faire trépasser de mort lente et douloureuse.

Le Chili est probablement le seul pays de la galaxie où le divorce n'existe pas, car personne n'ose défier les curés, en dépit du fait que soixante et onze pour cent de la population le réclament depuis fort longtemps. Aucun parlementaire, pas même ceux qui se sont séparés de leur épouse et unis à une kyrielle d'autres femmes en succession rapide, n'affronte les curés. Le résultat, c'est que la loi du divorce dort depuis des années dans le dossier des affaires en suspens, et lorsqu'elle sera enfin approuvée, ce sera avec tant de restrictions et de conditions qu'il sera plus pratique d'assassiner son conjoint que de divorcer. Les lacunes de la loi ont servi pendant plus de cent ans à des milliers de couples pour annuler leurs mariages. C'est ainsi qu'ont fait mes parents.

La volonté de mon grand-père et ses relations furent assez pour que mon père disparût par magie et que ma mère fût déclarée célibataire avec trois enfants illégitimes, que notre loi qualifie de « putatifs ». Sans broncher, mon père signa les papiers, une fois qu'on lui eut assuré qu'il n'aurait pas à subvenir aux besoins de ses enfants. L'annulation consiste en ce qu'une série de faux témoins prêtent serment devant un juge qui fait semblant de prendre ce qu'ils lui racontent pour argent comptant. Pour obtenir une nullité il faut au moins un avocat, pour qui le temps est de l'or, car il le gagne à l'heure, aussi ne lui convient-il pas d'abréger les formalités. La seule condition requise pour que l'avocat « valide » l'annulation est que le couple se mette d'accord, car si l'un des deux refuse de jouer le jeu, comme la première femme de mon beau-père, ce n'est même pas la peine. Le résultat, c'est qu'hommes et femmes s'unissent et se séparent sans papiers d'aucune sorte, comme l'a fait la quasi-totalité des gens que je connais. Tandis que j'écris ces réflexions – nous sommes au troisième millénaire –, la loi sur le divorce est toujours en attente, bien que le président de la République ait fait annuler son premier mariage et se soit remarié. Au pas où vont les choses, ma mère et l'oncle Ramón, qui ont plus de quatre-vingts ans et ont vécu ensemble un peu plus d'un demi-siècle, mourront sans pouvoir légaliser leur situation. Cela ne leur importe plus beaucoup à tous deux, et même s'ils le pouvaient ils ne se marieraient pas ; ils préfèrent qu'on se souvienne d'eux comme d'amants de légende.

*

L'oncle Ramón travaillait au ministère des Relations extérieures, comme mon père, et peu de temps après s'être installé sous le toit protecteur de mon grand-père en qualité de gendre illégitime, il fut envoyé en mission diplomatique en Bolivie. C'était le début des années cinquante. Ma mère et nous, ses enfants, partîmes avec lui.

Avant de commencer à voyager, j'étais persuadée que toutes les familles étaient comme la mienne, que le Chili était le centre de l'univers, que le reste de l'humanité nous ressemblait et parlait l'espagnol en première langue, l'anglais et le français étant, comme la géométrie, des matières scolaires. A peine avions-nous franchi la frontière que j'eus le premier soupçon de l'immensité du monde et me rendis compte que personne, absolument personne, ne savait combien ma famille était spéciale. J'appris très vite ce que l'on ressent à être rejeté. Dès l'instant où nous avons quitté le Chili et commencé à aller d'un pays à l'autre, je devins la petite nouvelle dans le quartier, l'étrangère à l'école, la fille bizarre qui s'habillait différemment et ne parlait même pas comme les autres. Je ne voyais pas passer les heures qui me séparaient du retour en territoire connu, à Santiago, mais lorsque cela arriva enfin, quelques années plus tard, cela ne me convint pas non plus, car j'avais passé trop de temps à l'extérieur. Être étrangère, comme je l'ai presque toujours été, signifie devoir faire bien plus d'efforts que les natifs, ce qui m'a tenue sur mes gardes et m'a obligée à développer la souplesse nécessaire pour s'adapter à différents milieux. Cette condition a certains avantages pour quelqu'un qui gagne sa vie en observant : rien ne me paraît naturel, presque tout me surprend. Je pose des questions absurdes, mais il m'arrive de les poser aux bonnes personnes, ce qui me fournit des sujets de romans.

Sincèrement, l'une des choses qui m'attirent le plus chez Willie, c'est son attitude provocante et confiante. Il ne doute pas de lui-même ou de ses qualités. Il a toujours vécu dans le même pays, il sait acheter sur catalogue, voter par correspondance, ouvrir un tube d'aspirine et qui appeler quand la cuisine est inondée. J'envie son assurance ; il se sent totalement à l'aise dans son corps, dans sa langue, dans son pays, dans sa vie. Il y a une certaine fraîcheur et une innocence chez les personnes qui sont toujours restées au même endroit et ont des témoins de leurs pas dans le monde. Au contraire, ceux d'entre nous qui sont souvent partis développent par nécessité un cuir épais. Comme nous manquons de racines et de témoins de notre passé, nous devons faire confiance à notre mémoire pour donner de la continuité à notre vie ; mais la mémoire est toujours floue, nous ne pouvons nous fier à elle. Les événements de mon passé n'ont pas de contours précis, ils sont estompés, comme si ma vie n'avait été qu'une succession d'illusions, d'images fugaces, de choses que je ne comprends pas ou ne comprends qu'à moitié. Je n'ai aucune espèce de certitudes. Je ne parviens pas non plus à sentir le Chili comme un lieu géographique ayant des caractéristiques précises, un endroit définissable et réel. Je le vois comme on voit les chemins de campagne au déclin du jour, quand les ombres des peupliers trompent le regard et que le paysage a seulement l'air d'un rêve.

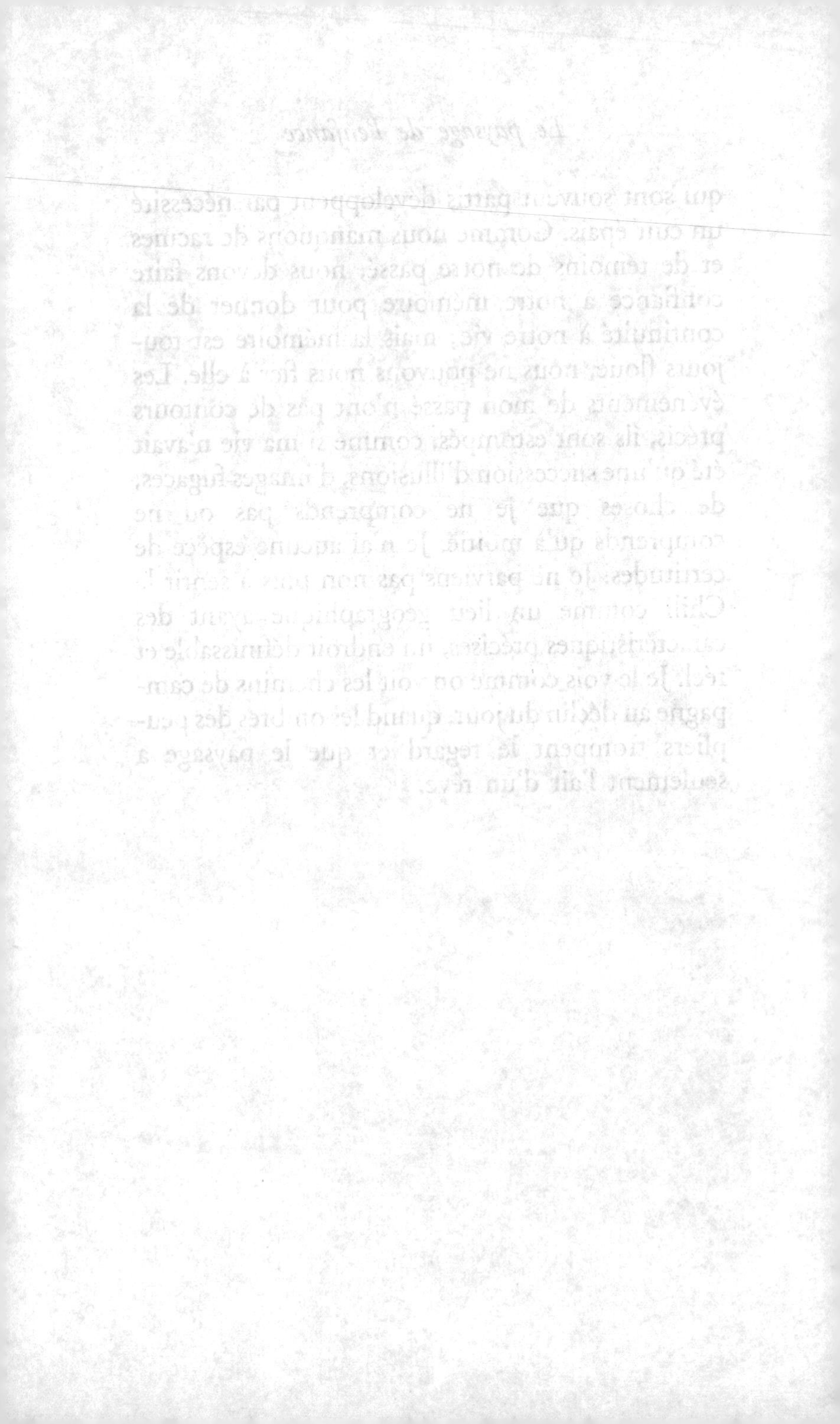

Gens hautains et sérieux

L'une de mes amies dit que les Chiliens sont pauvres, mais qu'ils ont les pieds délicats. Elle fait évidemment référence à notre susceptibilité injustifiée, toujours à fleur de peau, à notre orgueil solennel, à notre tendance à nous transformer en idiots profonds dès que l'occasion nous en est donnée. D'où nous viennent ces traits de caractère ? Je suppose qu'il nous faut en attribuer une partie à la mère patrie, l'Espagne, qui nous a légué un mélange de passion et de sévérité ; sans doute en devons-nous une autre partie au sang des Araucans endurants ; quant au reste, nous pouvons en rendre le destin responsable.

J'ai un peu de sang français, du côté de mon père, et sans doute un peu d'indigène – il suffit de me regarder pour le deviner –, mais mes origines sont essentiellement castillanes et basques. Les fondateurs de familles comme la mienne se sont efforcés de bâtir des dynasties, et c'est pourquoi certains d'entre eux se sont gratifiés d'un passé aristocratique ; en réalité, il s'agissait de paysans et d'aventuriers espagnols, arrivés voilà quelques siècles sur la queue de l'Amérique latine avec « une main par-devant et l'autre par-derrière », autrement dit pauvres comme Job. De sang bleu, comme on dit, pas la moindre trace. Ambitieux et travailleurs, ils prirent possession des terres les plus fertiles dans les environs de Santiago et s'appliquèrent à devenir des notables. Comme ils avaient émigré les premiers et s'étaient rapidement enrichis, ils purent se payer le luxe de regarder de haut ceux qui arrivèrent après. Ils se mariaient entre eux et, en bons catholiques, engendraient une copieuse descendance. Les enfants normaux se destinaient à la terre, aux ministères et à la hiérarchie ecclésiastique, jamais au commerce, destiné à une autre catégorie de personnes ; les moins favorisés intellectuellement se retrouvaient dans la Marine. Souvent, il restait un fils qui devenait président de la République. Nous avons des lignées de présidents, comme si la charge était héréditaire, car les Chiliens votent pour un nom connu. La famille Errázuriz, par exemple, eut trois présidents, trente et quelques sénateurs et je ne sais combien de députés, outre plusieurs hauts dignitaires de l'Eglise. Les filles vertueuses de familles « connues » épousaient leur cousin ou devenaient des bigotes aux miracles douteux ; les bonnes sœurs se chargeaient des filles égarées. C'étaient des gens conservateurs, pieux, honorables, hautains et avares, mais en général enclins à la bonté, non tant par tempérament que pour accumuler des mérites et gagner le ciel. On vivait dans la crainte de Dieu. J'ai été élevée dans la conviction que chaque privilège a pour conséquence naturelle une longue liste de responsabilités. Cette classe sociale chilienne gardait une certaine distance avec ses semblables, car elle avait été mise sur la Terre pour donner l'exemple, lourde charge qu'elle assumait avec une chrétienne dévotion. Je dois cependant préciser que, malgré ses noms et origines, la branche de la famille de mon grand-père ne faisait pas partie de cette oligarchie ; elle jouissait d'une certaine aisance, mais ne possédait ni terres ni fortune.

L'une des caractéristiques des Chiliens en général, et des descendants de Castillans et de Basques en particulier, est la tempérance, qui contraste avec le naturel exubérant si répandu dans le reste de l'Amérique latine. J'ai grandi au milieu de tantes millionnaires, cousines de mon grand-père et de ma mère, vêtues d'épaisses chasubles noires jusqu'aux talons, qui se vantaient de « retourner » les complets-veston de leurs maris, procédé fastidieux qui consistait à découdre le costume, à repasser les morceaux et à les assembler à nouveau, à l'envers, pour leur donner une nouvelle vie. Il était facile de repérer les victimes, car elles portaient la poche supérieure de la veste à droite au lieu de la porter à gauche. Le résultat était toujours pathétique, mais l'effort démontrait combien la bonne dame était économe et active. Etre actif est fondamental dans mon pays, où la paresse est un privilège masculin. On la pardonne aux hommes, de même qu'on tolère chez eux l'alcoolisme, car on suppose que ce sont des caractéristiques biologiques inévitables : celui qui naît ainsi n'y peut rien... Inutile de dire que ces défauts sont inexcusables chez les femmes. Les Chiliennes, y compris celles qui ont de la fortune, ne mettent pas de vernis sur leurs ongles, car cela indiquerait qu'elles ne travaillent pas de leurs mains, et la pire des choses est d'être taxée de fainéantise. Autrefois, lorsqu'on montait dans un autobus, on voyait toutes les femmes tricoter ; mais ce n'est plus le cas, car aujourd'hui arrivent des tonnes de vêtements d'occasion des Etats-Unis et des oripeaux en polyester de Taiwan, si bien que le tricot est passé de mode.

On a émis l'hypothèse que notre tempérance et notre pondération sont un legs des conquistadors espagnols épuisés, qui arrivaient à moitié morts de faim et de soif, plus poussés par le désespoir que par la cupidité. Ces courageux capitaines – les derniers dans la répartition du butin de la Conquête – devaient franchir la cordillère des Andes par des passages traîtres, ou traverser le désert d'Atacama sous un soleil de lave ardente, ou encore braver les vagues et les vents fatidiques du cap Horn. La récompense n'en valait guère la peine, le Chili n'offrant pas, comme d'autres régions du continent, la possibilité de s'enrichir de façon exorbitante. Les mines d'or et d'argent se comptaient sur les doigts d'une main, et arracher leurs rochers nécessitait un effort extraordinaire ; le climat non plus n'était pas fait pour donner de prospères plantations de tabac, de café ou de coton. Notre pays fut toujours plutôt pauvre ; ce à quoi le colon pouvait au mieux aspirer, c'était à une existence tranquille consacrée à l'agriculture.

Comme je l'ai dit, l'ostentation était autrefois inacceptable, mais cela a malheureusement changé, du moins chez les habitants de Santiago. Ils sont devenus tellement prétentieux que le dimanche matin ils vont au supermarché, remplissent leur caddie des produits les plus chers – caviar, champagne, filet de bœuf –, s'y promènent un long moment afin que les autres admirent leurs achats, puis l'abandonnent dans une allée et sortent discrètement, les mains vides. J'ai également entendu dire qu'une bonne partie des téléphones portables sont en bois ; ils ne sont qu'un leurre. Cela eût été impensable il y a quelques années ; les seuls qui vivaient dans de vastes demeures étaient les nouveaux riches arabes, et aucune personne dotée de tout son bon sens n'aurait porté un manteau en peau, même par un froid polaire.

Le côté positif d'une telle modestie – fausse ou authentique – était, bien sûr, la simplicité. Pas question d'anniversaire avec des cygnes teints en rose pour une fille de quinze ans, de noces impériales avec des pièces montées de quatre étages, de fêtes avec orchestre pour petits chiens de manchon, comme dans d'autres capitales de notre exubérant continent. La tempérance a été une caractéristique remarquable de notre nation, qui a disparu avec le capitalisme à outrance imposé au cours des deux dernières décennies, lorsque être riche ou le paraître est entré dans les mœurs, mais j'espère que nous reviendrons bientôt aux bonnes vieilles valeurs. Le caractère des peuples est tenace. Ricardo Lagos, l'actuel président de la République (depuis le début de l'année 2002), habite avec sa famille une maison louée dans un quartier sans prétention. Lorsque des dignitaires d'autres nations lui rendent visite, ils restent médusés devant les dimensions modestes de la maison et la stupéfaction est à son comble lorsqu'ils voient le haut dignitaire préparer les apéritifs et la première dame aider à servir à table. Bien que la droite pardonne mal à Lagos de ne pas être « quelqu'un comme eux », elle admire sa simplicité. Ce couple est un représentant typique de la classe moyenne de vieille souche, formée dans des écoles et des universités d'Etat gratuites, laïques et humanistes. Les Lagos sont des Chiliens éduqués dans les valeurs d'égalité et de justice sociale, que l'obsession matérialiste d'aujourd'hui paraît ne pas avoir effleurés. Espérons que l'exemple fera école et mettra fin, une bonne fois pour toutes, aux caddies abandonnés dans le supermarché et aux téléphones en bois.

*

J'ai idée que cette tempérance, tellement enracinée dans ma famille, de même que la tendance à dissimuler la joie ou le bien-être, venait de la honte que nous ressentions à la vue de la misère qui nous entourait. Il nous semblait qu'avoir plus que les autres était non seulement une injustice divine, mais aussi une sorte de péché personnel. Pour compenser, nous devions faire pénitence et charité. La pénitence consistait à manger chaque jour des haricots, des lentilles ou des pois chiches, et à endurer le froid en hiver. La charité était une activité familiale, qui incombait presque exclusivement aux femmes. Déjà toutes petites, tenant nos mères ou nos tantes par la main, nous les filles allions distribuer des vêtements et de la nourriture aux pauvres. Cette coutume a pris fin il y a une cinquantaine d'années, mais aider son prochain est toujours une obligation que les Chiliens assument avec joie, comme il convient dans un pays où les occasions de l'exercer ne manquent pas. Au Chili, la pauvreté et la solidarité vont de pair.

Il ne fait pas de doute qu'il existe une énorme disparité entre riches et pauvres, comme dans presque toute l'Amérique latine. Le peuple chilien, aussi pauvre soit-il, est à peu près bien éduqué, il se tient informé et connaît ses droits, même s'il ne lui est pas toujours possible de les faire valoir. La pauvreté montre cependant sa vilaine figure à chaque instant, surtout en temps de crise. Pour illustrer la générosité nationale, rien de mieux que ces quelques paragraphes d'une lettre de ma mère envoyée du Chili, à l'occasion des inondations de l'hiver 2002 qui ont submergé la moitié du pays dans un océan d'eau sale et de boue.

« Il a plu plusieurs jours d'affilée. Tout d'un coup ça se calme, mais une pluie très fine continue à nous mouiller ; juste au moment où le ministre de l'Intérieur nous annonce que le temps va s'améliorer, tombe une autre averse en tempête qui fait s'envoler son chapeau. Cela a été une autre épreuve difficile pour la population. Nous avons vu le véritable visage de la misère au Chili, la pauvreté déguisée en petite classe moyenne, celle qui souffre le plus, parce qu'elle a des espérances. Ces gens travaillent toute leur vie pour obtenir un logement décent et les entreprises les escroquent : elles peignent très joliment les maisons à l'extérieur, mais ne leur font pas d'écoulement, et avec la pluie non seulement elles sont inondées, mais elles commencent à s'effriter comme de la mie de pain. La seule chose qui distrait de la catastrophe, c'est le championnat mondial de football. Iván Zamorano, notre idole du football, a donné une tonne d'aliments et il passe ses journées dans les banlieues inondées à amuser les enfants et à distribuer des ballons. Tu ne peux pas imaginer les scènes de douleur ; ce sont toujours ceux qui ont le moins de ressources qui subissent les pires intempéries. L'avenir est sombre, car la pluie a noyé les champs de légumes, et le vent, arraché des vergers entiers. A Magallanes, les moutons meurent par milliers, pris dans la neige et à la merci des loups. Bien sûr, la solidarité des Chiliens se manifeste partout. Hommes, femmes et adolescents, dans l'eau jusqu'aux genoux et couverts de boue, soignent les enfants, distribuent des vêtements, étayent des agglomérations entières que l'eau emporte vers les ravins. Sur la place Italia on a installé une immense tente ; les automobiles passent et, sans s'arrêter, lancent des paquets de couvertures et de nourriture dans les bras des étudiants qui attendent. La gare de Mapocho est transformée en un immense refuge de sinistrés, avec une scène où les artistes de

Santiago, les groupes de rock et même l'orchestre symphonique font de l'animation, obligeant les gens engourdis par le froid à danser, qui ainsi oublient quelques instants leur malheur. C'est là une très grande leçon d'humilité. Le président, accompagné de sa femme et des ministres, parcourt les refuges et apporte sa consolation. Le mieux, c'est que la ministre de la Défense, Michelle Bachelet, dont le père a été assassiné par la dictature, a fait sortir l'armée pour la mettre au service des sinistrés ; elle se déplace debout dans un char de l'armée, avec le commandant en chef à ses côtés, aidant jour et nuit. Enfin, chacun fait ce qu'il peut ! Reste à savoir ce que feront les banques, qui sont un scandale de corruption dans ce pays. »

Le Chilien est tout aussi agacé face au succès d'autrui qu'il est magnifique face au malheur ; dans ce cas, il met de côté sa mesquinerie et se transforme tout à coup en la personne la plus solidaire et la plus généreuse au monde. Chaque année à la télévision ont lieu plusieurs marathons ayant pour but la charité et tous, en particulier les plus humbles, se lancent dans une véritable compétition à celui qui donnera le plus. Les occasions de faire appel à la compassion publique ne manquent pas dans un pays constamment frappé par des fatalités qui ébranlent les bases mêmes de la vie, des déluges qui emportent des villages entiers, des vagues gigantesques qui posent des bateaux au beau milieu des places. Nous sommes faits à l'idée que la vie est incertaine et nous nous attendons toujours à ce qu'un autre malheur nous tombe sur la tête. Mon mari – qui mesure un mètre quatre-vingts et a peu de souplesse dans les genoux – n'arrivait pas à comprendre pourquoi je range les verres et les assiettes sur les étagères les plus basses de la cuisine, qu'il n'atteint que couché par terre sur le dos, jusqu'à ce que le tremblement de terre de 1988, à San Francisco, détruise la vaisselle des voisins tandis que la nôtre restait intacte.

*

Ce n'est pas tout de se frapper la poitrine avec un sentiment de culpabilité et de faire la charité pour compenser l'injustice économique. Rien de tout cela. Notre gravité est amplement contrebalancée par la gloutonnerie : au Chili, l'existence s'écoule autour de la table. La plus grande partie des chefs d'entreprise que je connais souffrent de diabète, car les réunions d'affaires se passent autour d'un petit déjeuner, d'un déjeuner ou d'un dîner. Personne ne signe un papier avant d'avoir pris au moins un verre ou un café accompagné de biscuits.

S'il est certes exact que nous mangions chaque jour des légumes secs, le menu changeait le dimanche. Un déjeuner dominical typique chez mon grand-père commençait par d'imposantes *empanadas*, sortes de friands à la viande et aux oignons capables de provoquer des aigreurs d'estomac au plus résistant ; puis on servait la *cazuela*, une soupe à réveiller les morts, à base de viande, de maïs, de pommes de terre et de légumes verts ; suivait un succulent *chupe* aux fruits de mer, dont l'arôme délicieux emplissait la maison, et, pour terminer, une série de desserts irrésistibles, parmi lesquels ne pouvait manquer la tarte au *manjar blanco* ou confiture de lait, vieille recette de la tante Cupertina, le tout accompagné de litres de notre fatal *pisco sour* et de plusieurs bouteilles de bon vin rouge vieilli pendant des années dans la cave de la maison. Avant de quitter la table, on nous donnait une cuillerée de lait de magnésie. Cela était multiplié par cinq lorsqu'on fêtait l'anniversaire d'un adulte ; nous autres enfants n'étions pas dignes d'une telle déférence. Je n'ai jamais entendu prononcer le mot cholestérol. Mes parents, qui ont plus de quatre-vingts ans, consomment chaque semaine sept à huit douzaines d'œufs, un litre de crème, un demi-kilo de beurre et deux de fromage. Ils sont aussi frais que des gardons.

Cette réunion familiale était non seulement une bonne occasion de manger et de boire avec gourmandise, mais aussi de se disputer avec fureur. Au deuxième verre de *pisco sour*, les cris et les insultes que s'échangeaient mes parents s'entendaient dans tout le quartier. Ensuite, ils partaient chacun de leur côté en jurant de ne plus jamais s'adresser la parole, mais le dimanche suivant personne n'osait manquer, mon grand-père ne l'aurait pas pardonné. Je crois que cette coutume pernicieuse s'est maintenue au Chili, bien que tant de choses aient évolué sous d'autres aspects. Ces réunions obligatoires m'ont toujours épouvantée, mais voilà qu'aujourd'hui, en la maturité de mon existence, je les reproduis en Californie. La fin de semaine idéale pour moi, c'est d'avoir la maison pleine de gens, de cuisiner pour un régiment et de finir la journée en discutant à tue-tête.

Les disputes entre parents avaient lieu en privé. L'intimité est un luxe des classes riches, car la plupart des Chiliens n'en ont pas. Les familles des classes moyenne et populaire vivent dans la promiscuité ; dans de nombreux foyers, plusieurs personnes dorment dans le même lit. Lorsqu'il existe plus d'une chambre, les cloisons qui les séparent sont si fines qu'on entend jusqu'aux soupirs dans la pièce voisine. Pour faire l'amour, il faut se cacher dans des endroits invraisemblables : les toilettes publiques, sous les ponts, au jardin zoologique, etc. Vu que la solution au problème du logement peut tarder vingt ans, avec de la chance, je pense que le gouvernement a l'obligation de fournir des motels gratuits pour couples désespérés ; on éviterait ainsi bon nombre de troubles psychiques.

Chaque famille compte un écervelé, mais la consigne est toujours de serrer les rangs autour de la brebis galeuse et d'éviter le scandale. Dès le berceau les Chiliens apprennent que « le linge sale se lave en famille » et qu'on ne parle pas des parents alcooliques, de ceux qui s'endettent, qui battent leur femme ou ont fait de la prison. Tout se cache, de la tante cleptomane au cousin qui séduit les petites vieilles pour leur prendre leurs maigres économies et, en particulier, celui qui chante dans un cabaret vêtu comme Liza Minnelli, car au Chili toute originalité en matière de préférence sexuelle est impardonnable. Il a fallu se bagarrer pour que soit publiquement débattu le problème du sida, car personne ne voulait en admettre les causes. On ne légifère pas non plus sur l'avortement, l'un des problèmes de santé les plus sérieux du pays, dans l'espoir que si l'on n'aborde pas le sujet il disparaîtra comme par enchantement.

Ma mère a une bande magnétique sur laquelle est enregistrée une liste d'anecdotes savoureuses et de scandales familiaux, mais elle refuse de me la laisser écouter, car elle a peur que j'en divulgue le contenu. Elle m'a promis qu'à sa mort, lorsqu'elle sera définitivement hors d'atteinte de la vengeance apocalyptique de ses parents, j'hériterai de cet enregistrement. J'ai grandi entourée de secrets, de mystères, de chuchotements, d'interdits, de sujets qu'il ne fallait surtout pas évoquer. Je dois beaucoup de gratitude à ces innombrables squelettes cachés dans l'armoire, car ils ont planté en moi les graines de la littérature. Dans chaque histoire que j'écris j'essaie d'exorciser l'un d'eux.

Dans ma famille, on ne propageait pas les ragots, sur ce point nous étions quelque peu différents de l'*Homo chilensis* ordinaire, le sport national étant de parler dans le dos de la personne qui vient de quitter la pièce. En cela aussi nous nous différencions de nos idoles, les Anglais, qui ont pour règle de ne pas formuler de commentaires personnels. (Je connais un ancien soldat de l'armée britannique, marié, père de quatre enfants et grand-père de plusieurs petits-enfants, qui a décidé de changer de sexe. Du jour au lendemain il est apparu habillé en femme et absolument personne dans son village de la campagne anglaise, où il vivait depuis quarante ans, n'a fait la moindre observation.) Chez nous, dire du mal de son prochain a même un nom : *pelar* (« éplucher, peler, plumer, mettre à nu »), dont l'étymologie vient probablement de *pelar pollos* (« plumer les poulets »), donc arracher les plumes de l'absent. C'est si vrai que personne ne veut être le premier à s'en aller, si bien que les adieux s'éternisent sur le pas de la porte. Dans notre famille au contraire, la règle consistant à ne pas dire de mal d'autrui, imposée par mon grand-père, atteignait de tels extrêmes qu'il n'a jamais dit à ma mère les raisons pour lesquelles il s'opposait à son mariage avec l'homme qui allait devenir mon père. Il refusa de répéter les rumeurs qui circulaient sur sa conduite et son caractère, parce qu'il n'avait pas de preuves et, plutôt que d'entacher le nom du prétendant par une calomnie, il préféra risquer l'avenir de sa fille, qui finit par épouser en toute ignorance un fiancé qui ne la méritait pas. Avec les années, je me suis libérée de ce trait familial ; je n'ai pas de scrupules à répéter les ragots, à parler dans le dos des autres et à divulguer les secrets d'autrui dans mes livres, si bien que la moitié de mes parents ne m'adresse pas la parole.

Le fait que la famille n'adresse pas la parole à l'un de ses membres est chose courante. Le grand romancier José Donoso s'est vu obligé par la pression familiale de supprimer un chapitre de ses mémoires sur une arrière-grand-mère extraordinaire, qui devenue veuve ouvrit une maison de jeu clandestin, tenue par de charmantes jeunes femmes. Aux dires de certains, la tache sur le nom empêcha son fils de devenir président, et un siècle plus tard ses descendants tentent encore de la cacher. Je regrette que cette arrière-grand-mère n'ait pas été de ma tribu. Si elle l'avait été, je me serais chargée d'exploiter son histoire avec un orgueil justifié. Que de romans savoureux on peut écrire avec une arrière-grand-mère pareille !

Des vices et des vertus

Dans ma famille, presque tous les hommes ont étudié le droit, mais aucun, si ma mémoire est bonne, n'est devenu avocat. Le Chilien aime les lois : plus elles sont compliquées, mieux c'est. Rien ne nous fascine autant que la paperasserie et les formalités. Lorsqu'une démarche se révèle simple, nous la suspectons immédiatement d'être illégale. (Moi, par exemple, j'ai toujours douté que mon mariage avec Willie soit valable, parce qu'il s'est conclu en moins de cinq minutes par deux signatures dans un registre. Au Chili, cela aurait demandé plusieurs semaines de bureaucratie.) Le Chilien est légaliste, il n'y a pas de meilleur commerce dans le pays que d'avoir une étude de notaire : nous voulons tout sur papier timbré en plusieurs exemplaires et avec des tas de tampons. Nous sommes tellement légalistes que le général Pinochet s'est refusé à passer à l'histoire comme usurpateur du pouvoir, mais comme président légitime, raison pour laquelle il a dû changer la Constitution. Par l'une de ces ironies dont l'histoire foisonne, il s'est ensuite retrouvé pris au piège des lois que lui-même avait instaurées pour rester en place. D'après sa Constitution, il allait exercer sa charge huit ans de plus – il était déjà au pouvoir depuis plusieurs années –, jusqu'en 1988, date à laquelle il devait consulter le peuple afin que celui-ci décide s'il continuait ou si l'on organisait une élection. Il perdit le plébiscite puis, l'année suivante, les élections, et dut remettre l'écharpe présidentielle à son opposant, le candidat démocrate. Il est difficile d'expliquer à l'étranger la façon dont s'est terminée la dictature, qui comptait sur l'appui inconditionnel des Forces armées, de la droite et de nombreux secteurs de la population. Les partis politiques étaient suspendus, il n'y avait pas de Congrès et la presse était censurée. Comme l'a affirmé bien des fois le général : « Aucune feuille ne bougeait dans le pays sans mon accord. » Comment, dans ces conditions, a-t-il pu être battu par un vote démocratique ? Cela ne peut advenir que dans un pays comme le Chili. De la même façon, grâce à une lacune de la loi, on essaie maintenant de le juger avec d'autres militaires accusés de violations des droits de l'homme, bien qu'il ait lui-même désigné la Cour suprême et qu'une loi d'amnistie étendue les protège pour les actes illégaux commis pendant les années de son gouvernement. Mais voilà, des centaines de personnes ont été détenues, que les militaires nient avoir tuées ; or comme elles n'ont pas réapparu, elles sont considérées comme séquestrées. Dans ce cas, le délit perdure, et les coupables ne peuvent donc s'abriter derrière l'amnistie.

L'amour des règlements, aussi inopérants soient-ils, trouve ses meilleurs représentants dans l'immense bureaucratie de notre patrie résignée. Cette bureaucratie est le paradis du « petit Chilien ordinaire », ou l'homme en gris. Il peut y végéter à loisir, totalement à l'abri des pièges de l'imagination, parfaitement en sécurité à son poste jusqu'au jour de sa retraite, pourvu qu'il ne commette jamais l'imprudence d'essayer de changer les choses, comme l'assure le sociologue et écrivain Pablo Huneeus (qui, soit dit en passant, est l'un des rares Chiliens excentriques qui ne soient pas apparentés à ma famille). Le fonctionnaire public doit comprendre dès son premier jour de bureau que tout semblant d'initiative marquera la fin de sa carrière, parce qu'il n'est pas là pour faire du zèle, mais pour atteindre dignement son niveau d'incompétence. Déplacer des papiers tamponnés et timbrés d'un côté à l'autre n'a pas pour but de résoudre les problèmes, mais de bloquer les solutions. Si les problèmes étaient résolus, la bureaucratie perdrait son pouvoir et beaucoup d'honnêtes gens se retrouveraient sans emploi ; en revanche s'ils empirent, l'État augmente le budget et embauche plus de personnel ; ainsi le taux de chômage diminue et tout le monde est content. Le fonctionnaire abuse de son petit bout de pouvoir, en partant de l'idée que le public est son ennemi, sentiment qui est absolument réciproque. Ce fut une surprise de constater qu'aux États-Unis il suffit d'avoir un permis de conduire pour se déplacer dans le pays et que la plupart des formalités se font par correspondance. Au Chili, l'employé de service exigerait du solliciteur la preuve qu'il est né, qu'il n'est pas en prison, qu'il a payé ses impôts, qu'il est inscrit sur les listes de vote et qu'il est toujours vivant, car il aura beau trépigner pour prouver qu'il n'est pas mort, il devra tout de même présenter un « certificat de survie ». Le problème a atteint de telles proportions que le gouvernement a créé un bureau pour combattre la bureaucratie. Aujourd'hui, les citoyens peuvent faire des réclamations pour mauvais traitement et accuser les fonctionnaires ineptes... sur papier timbré en trois exemplaires, il va sans dire. Récemment, pour passer la frontière avec l'Argentine dans un bus de tourisme, nous avons dû attendre une heure et demie que l'on ait vérifié nos papiers. Traverser l'ancien mur de Berlin était plus facile. Kafka était chilien.

*

Je crois que notre obsession de la légalité est une sorte d'assurance contre l'agressivité que nous portons en nous ; sans le gourdin de la loi, nous nous taperions tous dessus à coups de bâton. L'expérience nous a appris que lorsque nous perdons nos esprits nous sommes capables de la pire des barbaries ; c'est pourquoi, prudemment, nous nous retranchons derrière une liasse de papiers timbrés. Nous évitons autant que possible l'affrontement, recherchons le consensus et, dès que l'occasion se présente, soumettons la décision au vote. Nous adorons voter. Si quelques gosses se rassemblent dans la cour de l'école pour jouer au football, la première chose qu'ils font est d'écrire un règlement et de voter pour un président, un porte-parole, un trésorier. Cela ne veut pas dire que nous soyons tolérants, loin de là : nous nous accrochons à nos idées comme des maniaques (je suis un cas typique). L'intolérance se voit de tous côtés, dans la religion, la politique, la culture. Quiconque ose n'être pas du même avis se voit clouer le bec par des insultes ou le ridicule, au cas où on ne pourrait pas le faire taire par des méthodes plus drastiques.

En ce qui concerne les coutumes, nous sommes conservateurs et traditionalistes, préférant ce qui est mal connu que bon à connaître, mais pour tout le reste nous passons notre temps à chercher la nouveauté. Nous considérons que tout ce qui vient de l'étranger est naturellement mieux que ce que nous avons et que nous devons l'essayer, depuis le dernier gadget électronique jusqu'aux systèmes économiques ou politiques. Nous avons passé une bonne partie du XXe siècle à expérimenter diverses formes de révolution, nous avons oscillé entre le marxisme et le capitalisme sauvage, passant par toutes les tonalités intermédiaires. L'espoir qu'un changement de gouvernement puisse améliorer notre sort est semblable à l'espoir de gagner à la loterie, il n'a pas de fondement rationnel. Au fond, nous savons bien que la vie n'est pas facile. Notre patrie est un pays de tremblements de terre, comment ne serions-nous pas fatalistes ? Étant donné les circonstances, nous n'avons pas d'autres solutions que d'être aussi un peu stoïciens, mais il n'est pas nécessaire de l'être avec dignité, nous pouvons nous plaindre à loisir.

Dans le cas de ma famille, je crois que nous étions spartiates autant que stoïciens. D'après ce que prêchait mon grand-père, la vie facile engendre le cancer, alors que le manque de confort est salutaire ; il recommandait les douches froides, la nourriture difficile à mastiquer, les matelas en pelotes, les sièges de troisième classe dans les trains et les lourds godillots. Sa théorie sur le manque de confort salutaire fut renforcée par plusieurs collèges britanniques que le destin m'a donné de fréquenter pendant la plus grande partie de mon enfance. Si l'on survit à ce genre d'éducation, on est ensuite reconnaissant des plaisirs les plus insignifiants ; je fais partie de ces personnes qui murmurent une prière silencieuse quand de l'eau chaude coule du robinet. J'attends de l'existence qu'elle soit problématique et, lorsqu'il n'y a pas d'angoisse ou de douleur pendant plusieurs jours, je m'inquiète, car cela signifie à coup sûr que le ciel est en train de me préparer un grand malheur. Cependant, je ne suis pas complètement névrotique, au contraire, en vérité, il y a du plaisir à vivre avec moi. Je n'ai pas besoin de grand-chose pour être heureuse, il suffit en général qu'un filet d'eau chaude coule du robinet.

*

On a beaucoup dit que nous sommes envieux, que la réussite d'autrui nous dérange. C'est sûr, cependant l'explication n'est pas l'envie, c'est le bon sens : le succès est anormal. L'être humain est biologiquement constitué pour l'échec, la preuve en est qu'il a des jambes et pas de roues, des coudes à la place d'ailes et un métabolisme au lieu de piles. Pourquoi rêver du succès si nous pouvons végéter tranquillement dans nos échecs ? Pourquoi faire aujourd'hui ce qu'on peut faire demain ? Ou le faire bien si on peut le faire à moitié ? Nous détestons qu'un compatriote se montre au-dessus des autres, sauf lorsqu'il le fait dans un autre pays, auquel cas l'heureux homme devient une sorte de héros national. Le triomphateur local est quant à lui fort mal vu ; très vite se fait jour un accord tacite pour lui rabattre son caquet. Nous donnons à cet autre sport le nom de *chaqueteo* : attraper l'autre par la veste (*chaqueta*) et tirer vers le bas. Malgré le *chaqueteo* et la médiocrité de l'environnement, de temps à autre quelqu'un réussit à sortir la tête au-dessus de l'eau. Notre peuple a engendré des hommes et des femmes exceptionnels : deux prix Nobel, Pablo Neruda et Gabriela Mistral ; les chanteurs-compositeurs Víctor Jara et Violeta Parra, le pianiste Claudio Arrau, le peintre Roberto Matta, le romancier José Donoso, pour ne citer que ceux qui me viennent à l'esprit.

Nous autres Chiliens aimons les enterrements, car le mort ne peut plus nous faire concurrence ni nous « peler » ou « plumer » par-derrière. Non seulement nous allons en masse aux enterrements, où il faut rester debout pendant des heures à écouter au moins quinze oraisons funèbres, mais nous fêtons également les anniversaires du défunt. Un autre de nos divertissements est de raconter et d'écouter des histoires : plus elles sont macabres et tristes, mieux c'est ; sous cet aspect et par notre goût pour la boisson, nous ressemblons aux Irlandais. Nous sommes tout acquis aux feuilletons télévisés, car les malheurs de leurs protagonistes nous offrent une bonne excuse pour pleurer sur nos propres peines. J'ai grandi en écoutant dans la cuisine de dramatiques feuilletons à la radio, bien que mon grand-père eût interdit la radio, car il la considérait comme un instrument diabolique qui propage cancans et vulgarités. Bonnes et enfants, nous souffrions de concert avec l'interminable feuilleton *Le Droit de naître* qui, si je me souviens bien, dura plusieurs années.

La vie des personnages du feuilleton télévisé est bien plus importante que celle des gens de notre famille, bien que l'intrigue ne soit pas toujours facile à suivre. Exemple : le jeune premier séduit une femme et l'abandonne dans un état intéressant, puis il se marie par vengeance avec une fille boiteuse qu'il délaisse également, avec « un polichinelle dans le tiroir », comme on dit ; mais sur-le-champ il s'enfuit en Italie retrouver sa première épouse. Je crois que cela s'appelle trigamie. Pendant ce temps, la boiteuse se fait opérer de la jambe, elle va chez le coiffeur, hérite d'une fortune, devient cadre supérieur dans une grande entreprise et attire de nombreux prétendants. Lorsque le séducteur revient d'Italie et qu'il voit cette femme riche avec deux jambes de la même longueur, il se repent de sa félonie. C'est alors que commencent les problèmes du scénariste pour démêler ce chignon de vieille qu'est devenue l'histoire. Il doit faire avorter la première femme séduite, de façon à ce qu'aucun bâtard ne passe et repasse sur l'écran de télévision, et tuer la pauvre Italienne, afin que le jeune premier – dont on suppose qu'il est le gentil du feuilleton – se retrouve opportunément veuf. Cela permet à l'ancienne boiteuse de se marier en blanc, bien qu'elle arbore un ventre énorme, et de donner naissance, dans les tout prochains jours, à un garçon, cela va de soi. Aucun ne travaille, tous vivent de leurs passions, les femmes portent des faux cils et des robes du soir dès le lever. Au cours de cette tragédie, presque tout le monde est hospitalisé ; il y a des accouchements, des accidents, des viols, des drogués, des jeunes qui s'enfuient de chez eux ou de prison, des aveugles, des fous, des riches qui deviennent pauvres et des pauvres qui deviennent riches. On souffre énormément. Le lendemain d'un épisode particulièrement dramatique, les téléphones de tout le pays sont occupés par la récapitulation des moindres détails ; mes amies m'appellent en PCV de Santiago en Californie pour le commenter. La seule chose qui puisse rivaliser avec le dernier chapitre d'une série télévisée est une visite du pape, mais cela n'est arrivé qu'une seule fois dans notre histoire et il y a peu de chance que cela se reproduise.

Outre les obsèques, les histoires morbides et les séries télévisées, nous avons les crimes, qui sont toujours un sujet de conversation intéressant. Les psychopathes et les assassins nous fascinent, surtout s'ils appartiennent à la haute bourgeoisie. « Nous avons fort mauvaise mémoire pour les crimes de l'État, mais nous n'oublions jamais les petits péchés de notre prochain », a commenté un journaliste célèbre. L'un des assassinats les plus retentissants de notre histoire fut commis par un certain monsieur Barceló, qui tua sa femme après l'avoir maltraitée pendant des années de vie commune, et prétendit ensuite qu'il s'agissait d'un accident. Il était en train de l'embrasser, argua-t-il, lorsque lui avait échappé un coup de revolver qui lui avait perforé la tête, mais il ne put expliquer pourquoi il tenait à la main un pistolet chargé pointé sur sa nuque. Sur ce, sa belle-mère entreprit une croisade pour venger sa pauvre fille ; je ne lui jette pas la pierre, j'aurais fait pareil. Cette dame appartenait à la société la plus distinguée de Santiago et elle avait l'habitude d'obtenir gain de cause : elle publia un livre dans lequel elle dénonçait son gendre et, lorsque celui-ci fut condamné à mort, elle s'installa dans le bureau du président de la République pour empêcher qu'il fût gracié. On le fusilla. Il fut le premier et l'un des rares inculpés appartenant au gratin à être exécuté, car ce châtiment était réservé à ceux qui n'avaient pas de relations et de bons avocats. Aujourd'hui, comme dans tout pays décent, la peine de mort a été abolie.

J'ai également grandi baignée dans les anecdotes familiales racontées par mes grands-parents, mes oncles et ma mère, très utiles lorsqu'on entreprend d'écrire des romans. Combien de vérité y a-t-il en elles ? Peu importe. A l'heure de se souvenir, personne ne souhaite la constatation des faits, la légende suffit, comme la triste histoire de celui qui apparut dans une séance de spiritisme et indiqua à ma grand-mère l'endroit où se trouvait un trésor caché sous l'escalier. A cause d'une erreur dans les plans de la propriété, et non par méchanceté de l'esprit, le trésor n'a jamais été trouvé, bien qu'on ait démoli la moitié de la maison. J'ai tenté de vérifier comment et quand s'étaient passés ces regrettables événements, mais la documentation n'intéresse personne dans ma famille, et si je pose trop de questions mes parents se vexent.

*

Je ne voudrais pas donner l'impression que nous n'avons que des défauts, nous avons aussi quelques vertus. Voyons, laissez-moi réfléchir à l'une d'elles... Par exemple, nous sommes un peuple qui a une âme de poète. Ce n'est pas notre faute, mais celle du paysage. Aucun individu né dans une nature comme la nôtre ne peut s'abstenir d'écrire des vers. Au Chili, vous soulevez une pierre et au lieu d'un lézard sort un poète ou un auteur-compositeur populaire. Nous les admirons, nous les respectons et supportons leurs manies. Autrefois, lors des réunions politiques, le peuple récitait à tue-tête les vers de Pablo Neruda, que nous savions tous par cœur. Nous préférions ses poèmes d'amour, parce que nous avons une faiblesse pour les vers octosyllabiques. Le malheur aussi nous émeut : le dépit, la nostalgie, les désillusions, le chagrin ; nos soirées sont longues, je suppose que c'est de là que vient notre préférence pour les sujets mélancoliques. Si la poésie fait faux bond à quelqu'un, il lui reste toujours d'autres formes d'art. Toutes les femmes que je connais écrivent, peignent, sculptent ou s'adonnent à divers artisanats pendant leurs temps de loisir, qui sont rares. L'art a remplacé le tissage. On m'a offert tant de tableaux et de céramiques que je ne peux même plus rentrer la voiture au garage.

A propos de notre caractère, je peux ajouter que nous sommes affectueux, nous passons notre temps à faire des bisous à droite et à gauche. Adultes, nous nous saluons par un baiser sincère sur la joue droite ; les enfants embrassent les grands en arrivant et en partant, et de plus, par respect, ils les appellent oncle et tante, comme en

Chine, y compris les maîtresses d'école. Les personnes âgées sont embrassées sans compassion, même contre leur gré. Les femmes s'embrassent entre elles, même si elles se détestent, et elles embrassent tout homme se trouvant à leur portée, sans que l'âge, la classe sociale ou l'hygiène puissent les en dissuader. Seuls les mâles en âge de procréer, disons entre quatorze et soixante-dix ans, ne s'embrassent pas, sauf entre pères et fils, mais ils se donnent des tapes dans le dos et s'étreignent que ça fait plaisir à voir. La tendresse a beaucoup d'autres manifestations, qui vont d'ouvrir les portes de sa maison pour recevoir celui qui se présente à l'improviste jusqu'à partager ce que l'on possède. N'allez pas admirer ce que porte une autre personne, car à tous les coups elle va l'ôter pour vous en faire cadeau. S'il reste de la nourriture sur la table, c'est faire preuve de délicatesse que de l'offrir aux invités afin qu'ils l'emportent, de même que l'on n'arrive pas en visite chez quelqu'un les mains vides.

La première chose que l'on dit de nous, c'est que nous sommes hospitaliers : à la première insinuation nous ouvrons les bras et les portes de nos maisons. J'ai souvent entendu les étrangers en visite au Chili raconter que s'ils demandent de l'aide pour trouver une adresse, l'interpellé les accompagne personnellement et, s'il les voit complètement perdus, il est capable de les inviter chez lui pour leur offrir à manger, et même un lit en cas de difficulté. J'avoue cependant que ma famille ne se montrait pas particulièrement débonnaire. L'un de mes oncles ne permettait à personne de respirer près de lui et mon grand-père s'en prenait au téléphone à coups de bâton, considérant comme un manque de respect qu'on l'appelât sans son consentement. Il était constamment en colère contre le facteur parce qu'il lui apportait du courrier qu'il n'avait pas demandé, et il n'ouvrait pas les lettres si le nom de l'expéditeur ne figurait pas sur l'enveloppe. Mes parents se sentaient supérieurs au reste de l'humanité, bien que leurs raisons à cela me paraissent assez vagues. Selon l'école de pensée de mon grand-père, nous ne pouvions faire confiance qu'à nos proches parents, le reste de l'humanité étant suspect. L'homme était fervent catholique, mais ennemi de la confession, car il se méfiait des curés et affirmait qu'il pouvait s'entendre directement avec Dieu pour le pardon de ses péchés. La même chose s'appliquait à sa femme et ses enfants. Malgré cet inexplicable complexe de supériorité, on a toujours bien reçu les visiteurs dans notre maison, aussi vils fussent-ils. Dans ce sens, nous autres Chiliens sommes comme les Arabes du désert : l'hôte est sacré et l'amitié, une fois déclarée, devient un lien indissoluble.

On ne peut entrer dans une demeure, riche ou pauvre, sans accepter quelque chose à manger ou à boire, ne serait-ce qu'un « petit thé ». C'est là une autre tradition nationale. Comme le café a toujours été rare et cher – même le Nescafé était un luxe –, nous buvions plus de thé que toute la population de l'Asie, mais lors de mon dernier voyage j'ai constaté, émerveillée, qu'enfin avait été introduite la culture du café ; à présent, n'importe qui disposé à le payer trouve, comme en Italie, des *expressos* et des *cappuccinos*. Je dois ajouter au passage, pour la tranquillité des touristes potentiels, que nous avons aussi des toilettes publiques impeccables et de l'eau en bouteille partout ; il n'est plus inévitable d'attraper une colite au premier verre d'eau, comme c'était le cas autrefois. D'une certaine manière je le regrette, car ceux d'entre nous qui ont grandi avec l'eau chilienne sont immunisés contre toutes les bactéries connues ou à découvrir ; je peux boire l'eau du Gange sans effets visibles sur ma santé, alors que si mon mari se brosse les dents hors des États-Unis il attrape le typhus. Au Chili, nous ne sommes pas raffinés en ce qui concerne le thé : n'importe quelle infusion brunâtre légèrement sucrée nous semble délicieuse. Il existe en outre une infinité d'herbes locales, auxquelles on attribue des propriétés curatives, et en cas de véritable misère nous avons la *agüita perra*, « la tisane chienne », de l'eau chaude dans une tasse ébréchée. La première chose que nous offrons au visiteur, c'est *un tecito*, « un petit thé », *un agüita*, « une petite tisane » ou *un vinito*, « un petit vin ». Au Chili, nous parlons au diminutif, comme il convient à notre désir de passer inaperçus et à notre horreur de crâner, ne serait-ce qu'en parole. Puis nous offrons ce qu'il y a à manger « à la fortune du pot », ce qui peut vouloir dire que la maîtresse de maison enlèvera le pain de la bouche à ses enfants pour le donner au visiteur, qui a l'obligation de l'accepter. S'il s'agit d'une invitation formelle, on peut s'attendre à un banquet pantagruélique, l'intention étant de donner aux convives une indigestion pour plusieurs jours. Bien sûr, les femmes font toujours le travail pénible. Maintenant la mode veut que les hommes cuisinent, un véritable malheur, car tandis qu'ils en tirent toute la gloire, il revient à la femme de laver la montagne de marmites et d'assiettes sales qu'ils laissent empilées. La cuisine typique est simple, car la terre et la mer sont généreuses ; il n'y a pas de fruits ni de coquillages plus savoureux que les nôtres, cela je peux le jurer. Plus il est difficile d'obtenir les ingrédients, plus élaborée et piquante est la cuisine, comme c'est le cas en Inde ou au Mexique, où il y a trois cents manières de préparer le riz. Nous, nous n'en avons qu'une seule et elle nous paraît plus que suffisante. La créativité dont nous n'avons pas besoin pour inventer des plats originaux, nous l'utilisons dans les noms, qui peuvent faire naître les pires soupçons chez les étrangers : fous panés, fromage de tête, boudin de sang, cervelle frite, doigts de dame, bras de reine, soupirs de bonne sœur, bébés emmaillotés, culotte déchirée, queue de singe, etc.

*

Nous sommes des gens qui avons le sens de l'humour et nous aimons rire, quoique au fond nous préférions le sérieux. Du président Jorge Alessandri (1958-1964), célibataire névrotique qui ne buvait que de l'eau minérale, ne permettait pas qu'on fumât en sa présence et se déplaçait hiver comme été avec manteau et cache-nez, les gens disaient avec admiration : « Que don Jorge est triste ! » Cela nous rassurait, car c'était signe que nous étions entre de bonnes mains : celles d'un homme sérieux ou, mieux encore, celles d'un vieux dépressif qui ne perdait pas son temps en joie inutile. Cela n'empêche pas le malheur de nous sembler amusant ; nous affinons notre sens de l'humour quand les choses vont mal, et comme nous avons toujours l'impression qu'elles vont mal, nous rions souvent. De la sorte, nous compensons un peu notre vocation de nous plaindre de tout. La popularité d'un personnage se mesure aux blagues qu'il suscite ; on dit que le président Salvador Allende en inventait sur lui-même – quelques-unes assez hautes en couleur – et les faisait circuler. Pendant de nombreuses années j'ai signé une colonne dans une revue et présenté une émission de télévision aux prétentions humoristiques, qui furent acceptées vu qu'il y avait peu de concurrence, car au Chili même les clowns sont mélancoliques. Quelques années plus tard, quand j'ai commencé à publier un papier similaire pour un journal vénézuélien, il est tombé comme un cheveu sur la soupe et je me suis fait un tas d'ennemis, parce que l'humour des Vénézuéliens est plus direct et moins cruel.

Ma famille se distingue par ses plaisanteries de mauvais goût, mais elle manque de raffinement en matière d'humour ; les seules blagues qu'elle comprenne sont les histoires allemandes de don Otto. En voici une : une demoiselle très élégante lâche un pet involontaire et, pour le dissimuler, elle fait du bruit avec ses chaussures ; don Otto lui dit alors (avec l'accent allemand) : « Tu vas abîmer un escarpin, tu vas abîmer l'autre escarpin, mais jamais tu ne feras le bruit qu'a fait ton popotin. » En écrivant cela, je pleure de rire. J'ai essayé de la raconter à mon mari, mais la rime est intraduisible en anglais, et en plus, en Californie, une histoire raciste n'a vraiment rien de drôle. J'ai grandi avec des histoires de Galiciens, de Juifs et de Turcs. Notre humour est noir, nous ne laissons pas passer une occasion de nous moquer des autres, quels qu'ils soient : sourds-muets, attardés, épileptiques, gens de couleur, homosexuels, curés, « loqueteux », etc. Nous avons des blagues de toutes les religions et de toutes les races. J'ai entendu pour la première fois l'expression *politically correct* à quarante-cinq ans et je n'ai pas réussi à l'expliquer à mes amis et parents du Chili. Une fois, en Californie, j'ai voulu trouver l'un de ces chiens que l'on dresse pour les aveugles, mais qui sont recalés parce qu'ils ne réussissent pas les dures épreuves de l'entraînement. Dans ma demande, j'ai eu la mauvaise idée de dire que je voulais l'un de ces chiens « refusés », et par retour du courrier j'ai reçu un mot sec m'informant qu'on n'emploie pas le terme « refusé », on dit que l'animal « a changé de carrière ». Allez donc expliquer cela au Chili !

Mon mariage mixte avec un *gringo* américain a plutôt été une réussite ; nous nous accordons bien, même si la plupart du temps aucun des deux n'a une idée de ce que l'autre raconte, car nous sommes toujours prêts à nous donner mutuellement le bénéfice du doute. Le plus gros problème, c'est que nous ne partageons pas le même sens de l'humour ; Willie ne peut croire qu'en espagnol on me trouve drôle la plupart du temps, et de mon côté je ne sais jamais de quoi diable il peut bien rire. La seule chose qui nous amuse à l'unisson, ce sont les discours improvisés du président George W. Bush.

Où naît la nostalgie

J'ai souvent dit que ma nostalgie commence avec le coup d'Etat militaire de 1973 – mon pays a alors tellement changé que j'ai du mal à le reconnaître –, mais en réalité elle a dû commencer bien avant. Mon enfance et mon adolescence ont été marquées par des voyages et des adieux. Je n'avais pas le temps de prendre racine en un lieu qu'il fallait déjà faire les valises pour partir vers un autre.

J'avais neuf ans lorsque j'ai laissé la maison de mon enfance et fait mes adieux, avec beaucoup de tristesse, à mon inoubliable grand-père. Pour que je ne m'ennuie pas au cours du voyage pour la Bolivie, l'oncle Ramón m'offrit une carte du monde et les œuvres complètes de Shakespeare traduites en espagnol, que j'ai avalées très vite, relues de temps en temps, et que j'ai toujours. Ces histoires de maris jaloux qui assassinent leurs épouses pour un mouchoir, de rois à qui leurs ennemis distillent du poison dans les oreilles, d'amants qui se suicident à cause de mauvaises communications me fascinaient. (Combien eût été différent le destin de Roméo et Juliette s'ils avaient eu le téléphone !) Shakespeare m'a initiée aux histoires de sang et de passion, chemin périlleux pour les auteurs qui doivent vivre à l'ère minimaliste. Le jour où nous avons embarqué dans le port de Valparaiso en direction de la province d'Antofagasta, d'où nous devions prendre un train pour La Paz, ma mère m'a donné un cahier avec des instructions pour commencer un journal de voyages. Depuis, j'ai écrit presque chaque jour ; c'est mon habitude la plus profondément ancrée. A mesure que le train avançait, le paysage changeait et quelque chose en moi se déchirait. D'un côté j'éprouvais de la curiosité pour les nouveautés qui défilaient devant mes yeux, de l'autre une tristesse insurmontable, qui peu à peu se cristallisait au fond de moi. Dans les petits villages boliviens où le train s'arrêtait, nous achetions des épis de maïs, du pain pétri à la main, des pommes de terre noires qui avaient l'air pourries, et de délicieuses friandises que nous offraient les Indiennes boliviennes vêtues de leurs jupes de laine multicolores et coiffées de leurs chapeaux melon noirs, pareils à ceux des banquiers anglais. Je notais dans mon carnet avec une application de notaire, comme si alors je pressentais déjà que seule l'écriture pouvait m'ancrer dans la réalité. A travers la fenêtre, le monde paraissait diffus à cause de la poussière sur les vitres et déformé par la rapidité du voyage.

Ces journées ont secoué mon imagination. J'ai entendu des histoires d'esprits et de démons qui rôdent autour des villages abandonnés, de momies subtilisées aux tombes profanées, de montagnes de crânes humains – certains vieux de plus de cinquante mille ans – exposés dans un musée. En cours d'histoire, à l'école, j'avais appris que les premiers Espagnols qui étaient arrivés au Chili au XVIe siècle, venant du Pérou, avaient marché des mois durant dans ces espaces désolés. J'imaginais cette poignée de guerriers avec leurs armures chauffées au rouge, les chevaux exténués et les yeux hallucinés, suivis par mille Indiens captifs portant armes et vivres. Ce fut une prouesse d'un courage inimaginable et d'une folle ambition. Ma mère nous lut quelques pages sur les Indiens atacameños disparus, et d'autres sur les Quechuas et les Aymaras, avec lesquels nous allions vivre en Bolivie. Je ne pouvais le deviner, mais c'est au cours de ce voyage qu'a commencé mon destin de vagabonde; le journal existe toujours, mon fils l'a caché et refuse de me le montrer, car il sait que je le détruirais. Je me suis repentie de bien des choses écrites dans ma jeunesse : poèmes épouvantables, contes tragiques, notes de suicide, lettres d'amour adressées à d'infortunés amoureux, et surtout ce journal de mauvais goût. (Aspirants écrivains, prenez garde : tout ce qu'on écrit ne vaut pas la peine d'être préservé au profit des générations futures.) En me donnant ce cahier, ma mère avait eu l'intuition que j'allais perdre mes racines chiliennes et que, à défaut de terre où les planter, je devrais le faire sur le papier. A partir de cet instant, j'ai toujours écrit. J'entretenais une correspondance avec mon grand-père, avec mon oncle Pablo et avec les parents de quelques amies, des personnes patientes à qui je relatais mes impressions sur La Paz, ses montagnes violettes, ses Indiens hermétiques et son air si diaphane que les poumons sont toujours sur le point de s'emplir d'écume et l'esprit d'hallucinations. Je n'écrivais pas aux enfants de mon âge, seulement aux adultes, parce qu'ils me répondaient.

Dans mon enfance et ma jeunesse, j'ai vécu en Bolivie et au Liban, suivant la destination diplomatique de « l'homme brun avec des moustaches », que m'avaient tellement annoncé les gitanes. J'ai appris un peu de français et d'anglais, mais aussi à ingurgiter de la nourriture d'aspect douteux sans poser de questions. Mon éducation fut chaotique, c'est le moins qu'on puisse dire, mais j'ai compensé mes terribles lacunes en lisant tout ce qui me tombait entre les mains avec une voracité de piranha. J'ai voyagé dans des bateaux, des avions, des trains et des voitures, écrivant toujours des lettres dans lesquelles je comparais ce que je voyais avec mon unique et éternelle référence : le Chili. Je ne me séparais pas de ma lampe de poche, que j'ai utilisée pour lire même dans les conditions les plus adverses, ni de mon carnet à noter la vie.

*

Après avoir passé deux ans à La Paz, nous sommes partis, comme lits et coffres, pour le Liban. Les années à Beyrouth furent pour moi des années d'isolement, enfermée à la maison et au collège. Comme le Chili me manquait ! A l'âge où les jeunes filles dansaient le rock'n roll, je lisais et écrivais des lettres. J'ai appris l'existence d'Elvis Presley lorsqu'il avait déjà pris du poids. Pour embêter ma mère, qui fut toujours coquette et élégante, je m'habillais d'un strict ensemble gris tandis que je rêvais éveillée de princes charmants tombés des étoiles qui me sauvaient d'une existence ordinaire. Pendant les récréations, au collège, pour cacher ma timidité je m'abritais derrière un livre dans le coin le plus reculé de la cour.

L'aventure du Liban prit brusquement fin en 1958, lorsque les *marines* américains de la Sixième Flotte débarquèrent pour intervenir dans les violents épisodes politiques qui peu après déchirèrent ce pays. La guerre civile avait commencé quelques mois plus tôt, on entendait des coups de feu et des cris, la confusion régnait dans les rues et la peur dans l'air. La ville était divisée en secteurs religieux, qui s'affrontaient avec des rancœurs accumulées pendant des siècles, tandis que l'armée essayait de maintenir l'ordre. L'une après l'autre les écoles fermèrent, sauf la mienne, parce que notre flegmatique directrice avait décidé que la guerre n'était pas de sa compétence, vu que la Grande-Bretagne n'y participait pas. Malheureusement, cette situation intéressante dura peu : l'oncle Ramón, effrayé par la tournure que prenait la révolte, envoya ma mère avec le chien en Espagne et réexpédia les enfants au Chili. Plus tard, ma mère et lui furent détachés en Turquie et nous restâmes à Santiago, mes frères internes dans un collège et moi chez mon grand-père.

J'arrivai à Santiago à quinze ans, désorientée parce qu'il y avait plusieurs années que je vivais à l'étranger et que j'avais perdu tout contact avec mes anciennes amitiés et mes cousins. De plus j'avais un accent étrange, ce qui est un problème au Chili, où les gens sont « situés » dans leur classe sociale en fonction de leur manière de parler. Le Santiago des années soixante me paraissait assez provincial comparé, par exemple, à la splendeur de Beyrouth, qui se targuait d'être le Paris du Moyen-Orient, mais cela ne voulait pas dire que le rythme était paisible, loin de là ; déjà à cette époque les habitants de Santiago vivaient sur les nerfs. La vie y était peu confortable et difficile, la bureaucratie écrasante, les attentes interminables, mais j'étais décidée à adopter cette ville dans mon cœur. J'étais fatiguée de quitter des endroits et des personnes, je voulais prendre racine et ne plus jamais m'en aller. Je crois que je suis tombée amoureuse du pays à cause des histoires que me racontait mon grand-père et de la manière dont nous avons ensemble parcouru le Sud. Il m'a enseigné l'histoire et la géographie, m'a montré des cartes, m'a obligée à lire des auteurs du pays ; il corrigeait ma grammaire et mon orthographe. En tant que maître, il n'avait pas de patience, mais de la sévérité à revendre ; mes erreurs le faisaient s'empourprer de rage, mais quand il était content de mes devoirs, il me récompensait d'un morceau de camembert, qu'il laissait se faire dans son armoire ; quand il ouvrait la porte, l'odeur de bottes de soldat pourries envahissait tout le quartier.

Mon grand-père et moi nous entendions bien, car nous aimions tous deux rester silencieux. Nous pouvions passer des heures côte à côte, à lire ou regarder tomber la pluie par la fenêtre, sans éprouver le besoin de parler à tout prix. Je crois que nous avions l'un pour l'autre de la sympathie et du respect. J'écris ce mot – respect –

avec une certaine hésitation, parce que mon grand-père était autoritaire et machiste ; il était habitué à traiter les femmes comme des fleurs délicates, mais l'idée du respect intellectuel à leur égard ne lui venait pas à l'esprit. J'étais une gamine exécrable et rebelle de quinze ans, qui discutait avec lui d'égal à égal. Cela piquait sa curiosité. Amusé, il souriait lorsque je plaidais pour défendre mes droits d'avoir la même liberté et la même éducation que mes frères, mais du moins m'écoutait-il. Il vaut la peine de mentionner que c'est de ma bouche qu'il a entendu le mot *machiste* pour la première fois. Il n'en connaissait pas le sens, et lorsque je le lui expliquai il faillit s'étouffer de rire ; l'idée que l'autorité masculine, aussi naturelle que l'air qu'on respire, eût une appellation lui parut une plaisanterie très spirituelle. Lorsque je commençai à remettre cette autorité en question, il cessa de la trouver drôle, mais je crois qu'il comprenait, et peut-être admirait, mon désir d'être semblable à lui, forte et indépendante, et non pas une victime des circonstances, comme ma mère.

Je réussis presque à ressembler à mon grand-père, mais la nature me trahit : des seins me poussèrent – à peine deux prunes sur les côtes – et mon plan partit à vau-l'eau. Le chamboulement hormonal fut pour moi une catastrophe. En quelques semaines je me transformai en une fille complexée, la tête brûlante de rêves romantiques, dont la principale préoccupation était d'attirer le sexe opposé, tâche des plus ardues, car je n'avais pas le moindre charme et étais furieuse presque en permanence. Je ne pouvais dissimuler mon mépris à l'égard de la plupart des garçons que je connaissais, car il me paraissait évident que j'étais plus intelligente. (Il me fallut plusieurs années pour apprendre à faire l'idiote afin que les hommes se sentent supérieurs. Il faut voir le travail que cela demande !) J'ai passé ces années déchirée entre les idées féministes qui bouillonnaient dans ma tête sans réussir à les exprimer d'une manière articulée – car personne encore n'avait entendu parler de quelque chose de la sorte dans mon milieu – et le désir d'être comme les autres filles de mon âge, d'être acceptée, désirée, conquise, protégée.

Mon pauvre grand-père dut batailler avec l'adolescente la plus malheureuse de l'histoire de l'humanité. Rien de ce que le pauvre vieux pouvait dire n'arrivait à me consoler. Non qu'il eût beaucoup dit. Il marmottait parfois que pour une femme je n'étais pas si mal, mais cela ne changeait rien au fait qu'il eût préféré que je fusse un homme, auquel cas il m'aurait appris à utiliser ses outils. Du moins parvint-il à se débarrasser de ma robe grise grâce à une méthode simple : en la brûlant dans la cour. Je fis un scandale, mais au fond je lui en fus reconnaissante, malgré ma certitude qu'avec ou sans cette horrible robe grise aucun homme ne me regarderait jamais. Cependant, quelques jours plus tard survint un miracle : pour la première fois un garçon me fit sa déclaration, Miguel Frías. J'étais si désespérée que je m'accrochai à lui comme un crabe et ne le lâchai plus. Nous nous sommes mariés cinq ans plus tard, avons eu deux enfants et avons vécu ensemble pendant vingt-cinq ans. Mais n'anticipons pas...

*

A cette époque, mon grand-père avait quitté le deuil et il s'était remarié avec une matrone à l'aspect impérial, dans les veines de qui coulait le sang de ces colons allemands arrivés de la Forêt-Noire, au XIXe siècle, pour peupler le Sud. Comparés à elle, nous avions l'air de sauvages et nous comportions comme tels. La seconde femme de mon grand-père était une Walkyrie imposante, grande, blanche et blonde, dotée d'une proue opulente et d'une poupe mémorable. Elle dut se résigner à entendre son mari murmurer le nom de sa première épouse dans son sommeil et batailler avec sa belle-famille, qui ne l'accepta jamais complètement et lui rendit bien des fois la vie impossible. Je regrette qu'il en ait été ainsi, car sans elle la vieillesse du patriarche eût été très solitaire. C'était une excellente maîtresse de maison et une bonne cuisinière, également autoritaire, travailleuse, économe et incapable de comprendre le sens de l'humour tordu de notre famille. Sous son règne, les éternels haricots, lentilles et pois chiches furent bannis de la cuisine ; elle préparait des mets délicats que ses beaux-fils couvraient de sauce piquante avant d'y goûter. Elle brodait aussi de ravissantes serviettes de toilette qu'ils utilisaient en général pour nettoyer la boue de leurs chaussures. J'imagine que les déjeuners dominicaux avec ces barbares ont dû être pour elle une torture intolérable, mais elle les maintint en vigueur pendant des décennies pour nous démontrer que, quoi que nous fassions, nous ne pourrions jamais la vaincre. Dans cette lutte de volontés, elle gagna haut la main.

Cette dame digne ne partageait pas la complicité qui existait entre mon grand-père et moi, mais elle nous tenait compagnie, le soir, lorsque nous écoutions un feuilleton radiophonique terrifiant toutes lumières éteintes ; elle tricotait de mémoire, indifférente, tandis que lui et moi étions morts de peur et de rire. Le vieux monsieur s'était réconcilié avec les moyens de communication et il avait un poste de radio antédiluvien qu'il devait réparer tous les deux jours. Avec l'aide d'un *maestro*, il avait installé une antenne, ainsi que des câbles connectés à une grille métallique, dans l'intention de capter les messages des extraterrestres puisque ma grand-mère n'était plus là pour les convoquer lors de ses séances.

Au Chili existe l'institution du *maestro*, « maître » ; c'est ainsi que nous nommons n'importe quel type (jamais une femme) ayant en sa possession une pince et un bout de fil de fer. S'il s'agit de quelqu'un de particulièrement primitif, nous l'appelons affectueusement *maestro chasquilla** sinon, c'est *maestro* tout court, titre honorifique qui équivaut à « licencié ». Avec une pince et un bout de fil de fer, ce bonhomme peut tout réparer, d'un simple lavabo à la turbine d'un avion ; sa créativité et son audace sont sans limites. Pendant la plus grande partie de sa longue vie, mon grand-père eut rarement besoin d'avoir recours à l'un de ces spécialistes, car non seulement il était capable d'arranger n'importe quel dégât, mais il fabriquait également ses propres outils ; en vieillissant, pourtant, quand il ne pouvait plus se baisser ou soulever un poids, il s'en remettait à un *maestro*, qui venait souvent lui rendre visite pour travailler avec lui entre deux gorgées de genièvre. Aux Etats-Unis, où la main-d'œuvre est chère, la moitié de la population masculine a un garage rempli d'outils et, dès

---

* Peut-être en français pourrions-nous rendre cette expression à peu près intraduisible par « maître la débrouille ». *(N.d.T.)*

l'enfance, apprend à lire les modes d'emploi. Mon mari, avocat de profession, possède un pistolet qui tire des clous, une machine qui coupe les rochers et une autre qui vomit du ciment par un tuyau. Mon grand-père était une exception au Chili où, de la classe moyenne jusqu'en haut de l'échelle sociale, personne ne sait déchiffrer un manuel ni ne se salit non plus les mains avec de la graisse de moteur, raison pour laquelle existent les *maestros*, qui peuvent improviser les solutions les plus ingénieuses avec les moyens les plus modestes et un minimum de chichis. J'en ai connu un qui est tombé d'un neuvième étage en tentant de réparer une fenêtre et qui en est miraculeusement sorti indemne. Frottant ses contusions, il a pris l'ascenseur et est allé s'excuser d'avoir cassé le marteau. L'idée d'utiliser une ceinture de sécurité ou de demander une indemnisation ne lui est jamais passée par la tête.

Il y avait, au fond du jardin de mon grand-père, une maisonnette qui avait sans doute été construite pour une bonne, où l'on m'installa. Pour la première fois de ma vie je connus l'intimité et le silence, un luxe qui m'est devenu indispensable. J'étudiais le jour, et la nuit je lisais des romans de science-fiction que je louais pour quelques centimes, en éditions de poche, au kiosque du coin. Comme tous les adolescents chiliens d'alors, pour faire impression je me baladais avec

La Montagne magique et *Le Loup des steppes* sous le bras ; je ne me souviens pas les avoir lus. (Le Chili est peut-être le seul pays où Thomas Mann et Herman Hesse ont été d'éternels best-sellers, bien que je ne puisse imaginer ce que nous avons en commun, par exemple, avec Narcisse et Goldmund.) Dans la bibliothèque de mon grand-père, je suis tombée sur une collection de romans russes et sur les œuvres complètes de Henri Troyat, qui a écrit de longues sagas familiales sur la vie en Russie avant et pendant la Révolution. J'ai lu et relu ces livres bien des fois et, des années plus tard, j'ai appelé mon fils Nicolas à cause d'un personnage de Troyat, un jeune paysan rayonnant comme un soleil matinal qui tombe amoureux de l'épouse de son maître et sacrifie sa vie pour elle. C'est une histoire tellement romantique qu'aujourd'hui encore, lorsqu'elle me revient à la mémoire, elle me donne envie de pleurer. Mes livres préférés étaient ainsi, et ils le sont restés : des personnages passionnés, de nobles causes, des actes de courage téméraire, de l'idéalisme, de l'aventure et, si possible, des contrées lointaines au climat rude, comme la Sibérie ou un désert africain, autrement dit des endroits que je n'ai aucune intention d'aller visiter un jour. Les îles tropicales, tellement agréables pendant les vacances, sont une calamité en littérature.

J'écrivais aussi chaque jour à ma mère en Turquie. Les lettres mettaient deux mois à arriver, mais cela ne fut jamais un problème pour nous qui sommes des mordues du genre épistolaire : nous nous sommes écrit presque chaque jour pendant quarante-cinq ans, nous étant promis qu'à la mort de l'une des deux l'autre déchirerait la montagne de lettres accumulées. Sans cette garantie, nous ne pourrions écrire en toute liberté ; je ne veux pas penser au drame que ce serait si ces lettres, où nous disons pis que pendre de nos parents et du reste du monde, tombaient entre des mains indiscrètes.

Je me souviens de ces hivers de mon adolescence, quand la pluie inondait la cour et passait sous la porte de ma petite maison, que le vent menaçait d'emporter le toit et que les coups de tonnerre et les éclairs secouaient le monde. Si j'avais pu rester enfermée là à lire pendant tout l'hiver, ma vie aurait été parfaite, mais je devais aller en cours. Je détestais attendre le bus, épuisée et anxieuse, sans savoir si je serais parmi les chanceux qui parviendraient à y monter ou l'un des laissés-pour-compte qui resteraient en bas et devraient attendre le prochain. La ville s'était étendue et il était difficile de se déplacer d'un point à un autre ; monter dans un *micro*, un autobus, équivalait à un acte suicidaire. Après avoir attendu des heures avec une vingtaine de citadins aussi désespérés que soi, parfois sous la pluie et les pieds dans une mare de boue, il fallait sauter comme un lièvre quand le véhicule s'approchait, toussant et crachant de la fumée par le tuyau d'échappement, pour s'accrocher à la plate-forme ou aux vêtements d'autres passagers qui avaient réussi à se hisser sur le marchepied. Cela a changé, naturellement. Quarante ans ont passé et Santiago est une ville complètement différente de celle d'alors. Aujourd'hui, les bus sont rapides, modernes et nombreux. Le seul inconvénient est que les chauffeurs font la course pour arriver les premiers à l'arrêt et attraper le maximum de passagers, si bien qu'ils volent dans les rues, écrasant ce qui se trouve devant eux. Ils détestent les écoliers parce qu'ils paient moins cher, et les vieux parce qu'ils mettent beaucoup de temps à monter ou descendre, aussi font-ils leur possible pour empêcher qu'ils s'approchent de leur véhicule. Qui veut connaître le tempérament chilien doit utiliser les transports collectifs à Santiago et voyager en bus dans le pays ; l'expérience est très instructive. Dans les *micros* montent des chanteurs aveugles et des vendeurs d'aiguilles, de calendriers, d'images saintes et de fleurs, mais aussi des magiciens, des équilibristes, des voleurs, des fous et des mendiants. En général, les Chiliens sont de mauvaise humeur et ils n'échangent pas un regard dans la rue, mais dans les *micros* s'établit une solidarité humaine, comme il y en avait dans les refuges antiaériens à Londres pendant la Seconde Guerre mondiale.

Un mot de plus sur la circulation : les Chiliens, si timides et aimables individuellement, deviennent des sauvages lorsqu'ils ont un volant entre les mains : ils font la course pour voir qui arrivera le premier au feu rouge, zigzaguent en changeant de file sans mettre le clignotant, s'insultent en criant ou par gestes. La plupart de nos insultes se terminent par « on », si bien qu'on dirait du français. Une main tendue comme pour demander l'aumône est une allusion directe à la taille des testicules de l'ennemi ; il est bon de le savoir pour ne pas commettre l'imprudence d'y déposer une pièce.

*

Avec mon grand-père, j'ai fait plusieurs voyages inoubliables sur la côte, en montagne et dans le désert. Il m'a emmenée deux fois dans les fermes d'élevage du mouton de la Patagonie argentine, véritables odyssées en train, en jeep, en charrette à bœufs et à cheval. Nous voyagions vers le Sud, parcourant les magnifiques forêts d'arbres natifs, où il pleut toujours ; nous voguions sur les eaux immaculées des lacs qui, tels des miroirs, reflétaient les volcans enneigés ; nous traversions la haute cordillère des Andes par des routes cachées utilisées par des contrebandiers. De l'autre côté nous attendaient des muletiers argentins, des hommes rudes et silencieux aux mains habiles et aux visages aussi burinés que le cuir de leurs bottes. Nous campions sous les étoiles, emmitouflés dans de lourdes couvertures de Castille, avec les montures comme oreiller. Les muletiers tuaient un petit agneau et le faisaient rôtir embroché sur un bâton ; nous le mangions arrosé de maté, un thé vert et amer servi dans une calebasse qui passait de main en main, aspirant tous à la même pipette en métal. Il eût été impoli de faire le dégoûté devant le tube trempé de salive et de tabac chiqué. Mon grand-père ne croyait pas aux germes, pour la même raison qu'il ne croyait pas aux fantômes : il n'en avait jamais vu. Au point du jour nous nous lavions avec de l'eau glacée et un vigoureux savon jaune fait de graisse de mouton et de soude caustique. Ces voyages m'ont laissé un souvenir à ce point impérissable que trente-cinq ans plus tard, racontant la fugue de mes protagonistes dans mon deuxième roman, *D'amour et d'ombre*, j'ai pu sans hésiter décrire l'expérience et le paysage.

Troubles années de jeunesse

Dans mon enfance et ma jeunesse je percevais ma mère comme une victime, aussi ai-je très tôt décidé que je ne marcherais pas sur ses traces. Selon moi, être née femme représentait à l'évidence une malchance ; il était bien plus facile d'être un homme. Cela m'a poussée à devenir féministe bien avant d'avoir entendu prononcer le mot. Le désir d'être indépendante et de n'avoir à obéir à personne est tellement ancien que je ne me rappelle pas un seul instant où il n'ait guidé mes décisions. Lorsque je jette un regard sur le passé, je comprends que ma mère a connu un destin difficile et qu'en réalité elle y a fait face avec un grand courage ; mais à cette époque, je la jugeais faible, parce qu'elle dépendait des hommes qui l'entouraient – son père et son frère Pablo, qui contrôlaient l'argent et donnaient les ordres. Les seules fois où ils faisaient attention à elle, c'était quand elle était malade, aussi l'était-elle souvent. Puis elle s'est mise en ménage avec l'oncle Ramón, homme aux qualités magnifiques, mais aussi machiste que mon grand-père, mes oncles et le reste des Chiliens en général.

Je me sentais asphyxiée, prise au piège dans un système rigide, comme nous l'étions tous, en particulier les femmes que je voyais autour de moi. On ne pouvait faire un pas en dehors des sentiers tracés, je devais me comporter comme les autres, me fondre dans l'anonymat ou affronter le ridicule. J'étais supposée passer le bac, tenir la bride serrée à mon fiancé, me marier avant vingt-cinq ans – après, ce n'était plus la peine – et avoir rapidement des enfants pour que personne ne pense que j'utilisais des contraceptifs. A ce propos, je dois préciser qu'on avait déjà inventé la fameuse pilule responsable de la révolution sexuelle, mais au Chili on n'en parlait qu'à mi-voix ; l'Eglise l'avait interdite et on ne l'obtenait que par un médecin ami de la pensée libérale, pourvu qu'on pût exhiber un certificat de mariage. Les célibataires étaient fichues, car peu d'hommes chiliens ont la courtoisie d'utiliser un préservatif. Dans les guides touristiques, on devrait recommander aux visiteuses d'en avoir toujours dans leur sac, car les occasions de l'utiliser ne manqueront pas. Pour le Chilien, la séduction de n'importe quelle femme en âge de procréation est un devoir qu'il accomplit consciencieusement. Mes compatriotes dansent en général très mal, mais ils parlent très joliment ; ils ont été les premiers à découvrir que le point G est situé dans les oreilles féminines et que le chercher plus bas est une perte de temps. L'une des expériences les plus thérapeutiques pour toute femme déprimée est de passer devant un chantier, de constater que le travail s'arrête et de voir plusieurs ouvriers se laisser glisser des échafaudages pour venir la draguer. Cette activité a atteint un tel niveau artistique qu'il existe un concours annuel pour couronner les meilleurs compliments par catégorie : classique, inventif, érotique, comique et poétique.

On m'a appris toute petite à être discrète et à feindre la vertu. Je dis feindre, car ce qui se fait en catimini n'a pas d'importance, du moment que cela ne s'ébruite pas. Au Chili, nous souffrons d'une forme particulière d'hypocrisie : nous nous scandalisons de tout faux pas de notre prochain, mais commettons d'énormes péchés en privé. La franchise nous choque assez, nous sommes dissimulés, nous préférons parler par euphémismes (allaiter, c'est « donner de la nourriture au bébé » ; la torture, une « contrainte illégale »). Nous nous vantons d'être très émancipés, mais supportons stoïquement le silence sur les sujets considérés tabous et dont on ne parle pas, de la corruption (que nous appelons « enrichissement illicite ») à la censure au cinéma, pour n'en citer que deux. Avant, on ne pouvait pas projeter *Le Violoniste sur le toit*; maintenant, on ne montre pas *La Dernière*

Tentation du Christ, car les curés s'y opposent et les intégristes catholiques pourraient poser une bombe dans le cinéma. On a donné *Le Dernier Tango à Paris* alors que Marlon Brando était devenu un vieil obèse et que la margarine était passée de mode. Le tabou le plus fort, surtout pour les femmes, est toujours le tabou sexuel.

Quelques familles émancipées envoyaient leurs filles à l'université, mais ce n'était pas le cas de la mienne. Ma famille se considérait intellectuelle, mais en réalité nous étions des barbares moyenâgeux. On attendait de mes frères qu'ils aient une profession – autant que possible avocats, médecins ou ingénieurs, les autres occupations étant de second ordre – mais je devais, moi, me contenter d'un travail plutôt décoratif en attendant que le mariage et la maternité m'absorbent entièrement. Pendant ces années, les femmes qui avaient un métier étaient en majorité issues de la petite bourgeoisie, qui est la véritable colonne vertébrale du pays. Cela a changé, et aujourd'hui le niveau d'instruction des femmes est même supérieur à celui des hommes. Je n'étais pas une mauvaise étudiante, mais comme j'avais déjà un fiancé, personne n'a pensé que je pouvais exercer un métier – moi non plus d'ailleurs. J'ai terminé mes études secondaires à seize ans, tellement confuse et immature que je n'ai pas su quoi faire ensuite, bien qu'il ait toujours été clair pour moi que je devais travailler, car il n'y a pas de féminisme qui vaille sans indépendance économique. Comme disait mon grand-père : celui qui paie l'addition est celui qui commande. Je fus employée comme secrétaire dans une organisation des Nations unies où je copiais des statistiques forestières sur de grandes feuilles quadrillées. Pendant mes moments de loisir, je ne brodais pas mon trousseau, mais lisais des romans d'auteurs latino-américains et luttais à bras-le-corps avec tout homme qui croisait mon chemin, à commencer par mon grand-père et le cher oncle Ramón. Ma rébellion contre le système patriarcal s'est exacerbée lorsque je suis arrivée sur le marché du travail et que j'ai constaté les inconvénients d'être femme.

*

Et qu'en est-il de l'écriture ? Je suppose que secrètement je voulais me consacrer à la littérature, mais je n'ai jamais osé exprimer en mots un projet aussi ambitieux, car j'aurais déclenché une avalanche d'éclats de rire autour de moi. Personne ne s'intéressait à ce que je pouvais dire, encore moins écrire. Je ne connaissais pas d'écrivaines remarquables, hormis deux ou trois célibataires anglaises du XIXe siècle et notre poétesse nationale, Gabriela Mistral, mais elle ressemblait à un homme. Les écrivains étaient des hommes mûrs, solennels, lointains, et morts pour la plupart. Personnellement, je n'en connaissais aucun, sauf cet oncle qui parcourait le quartier en jouant de l'orgue de Barbarie et qui avait publié un livre sur ses expériences mystiques en Inde. Dans la cave s'entassaient des centaines d'exemplaires de cet épais roman, sans doute achetés par mon grand-père pour les retirer de la circulation, que mes frères et moi utilisions dans notre enfance pour construire des châteaux forts. Non, la littérature n'était décidément pas un chemin raisonnable dans un pays comme le Chili, où le mépris intellectuel pour les femmes était encore absolu. C'est par une guerre sans quartier que nous autres femmes avons réussi à gagner le respect de nos troglodytes dans certains domaines, mais dès que nous relâchons notre attention, le machisme relève à nouveau sa tête hirsute.

J'ai gagné ma vie comme secrétaire pendant un certain temps, je me suis mariée avec Miguel, le fiancé de toujours, et aussitôt me suis retrouvée enceinte de ma fille, Paula. Malgré mes théories féministes, je fus une épouse chilienne typique, aussi dévouée et serviable qu'une geisha, de celles qui infantilisent leur mari par préméditation et fourberie. Il suffit de dire, par exemple, que j'avais trois occupations : je dirigeais la maison, je me chargeais des enfants et je courais toute la journée comme un athlète pour m'acquitter de toutes les responsabilités que je m'étais mises sur le dos, y compris une visite quotidienne à mon grand-père, mais le soir j'attendais mon mari avec l'olive de son Martini entre les dents et préparais les vêtements qu'il mettrait le lendemain. Dans mes moments de liberté, telle une banale Elvira, je cirais ses chaussures, coupais ses ongles et ses cheveux.

Bientôt, j'obtins une promotion au bureau et commençai à travailler au département d'information, où je devais rédiger des rapports et prendre contact avec la presse, ce qui était plus amusant que de compter des arbres. Je dois admettre que je n'ai pas choisi le journalisme : celui-ci m'a attrapée d'un coup de patte dans un moment d'inattention ; dès le début ce fut l'amour, une passion subite qui détermina une grande partie de mon existence. A cette époque, on inaugura la télévision au Chili, avec deux chaînes en noir et blanc qui dépendaient des universités. C'était la télévision de l'âge de pierre, on ne peut plus primitive, et c'est pour cela que je pus mettre le pied à l'étrier, malgré que les seuls écrans que j'avais vus jusque-là étaient ceux du cinéma. Je me vis lancée dans une carrière de journaliste bien que je n'aie pas fait d'études universitaires. En ce temps-là, c'était encore un métier qu'on apprenait sur le tas, et il y avait une certaine tolérance pour les spontanés de mon espèce. Il convient ici de préciser qu'au Chili les femmes constituent la majorité des journalistes et qu'elles sont mieux formées, plus visibles et plus vaillantes que leurs collègues masculins, mais presque toujours obligées de travailler sous les ordres d'un homme. Mon grand-père reçut la nouvelle avec indignation ; il considérait que c'était là une occupation de fripouille : aucun individu sain d'esprit ne voudrait parler à la presse, et aucune personne décente n'opterait pour un métier dont la matière première était les commérages. Pourtant, secrètement, je crois qu'il regardait mes émissions de télévision, car il lui arrivait d'exprimer un commentaire révélateur.

*

Dans ces années s'étendirent de façon alarmante les cordons de pauvreté autour de la capitale, avec leurs murs en carton, leurs toits de vieilles tôles et leurs habitants en haillons. Ils étaient parfaitement visibles sur le chemin de l'aéroport et faisaient très mauvaise impression sur les visiteurs ; pendant longtemps la solution fut de les cacher derrière des murailles. Comme disait un politicien d'alors : « S'il y a de la misère, qu'on ne la remarque pas. » Aujourd'hui, il reste toujours des populations marginales, malgré l'effort soutenu des gouvernements pour reloger les habitants dans des quartiers plus décents, mais cela n'a rien à voir avec ce qu'il y avait autrefois. Des émigrants venus de la campagne ou des provinces les plus abandonnées arrivaient en masse à la recherche de travail et, en se retrouvant sans abri, ils montaient leurs baraques de chagrin. Malgré le harcèlement des carabiniers, ces populations champignons grossissaient et s'organisaient ; une fois que les gens occupaient un terrain, il était impossible de les en déloger ou d'empêcher qu'ils continuent d'arriver. Les cahutes s'alignaient le long de ruelles non pavées, d'où en été s'élevait un nuage de poussière et qui en hiver se transformaient en bourbier. Des centaines d'enfants pieds nus couraillaient entre les maisons, tandis que les parents partaient quotidiennement à la ville chercher un travail à la journée afin de « remplir la marmite », terme vague qui veut dire n'importe quoi, depuis quelques billets jusqu'à un os pour faire la soupe. Il m'est arrivé de visiter ces bidonvilles, d'abord avec des amis prêtres, pour essayer d'apporter de l'aide, mais peu après, quand le féminisme et les préoccupations politiques m'ont obligée à sortir de ma coquille, je les fréquentais pour enquêter. En tant que journaliste, j'ai pu réaliser des reportages et des interviews, qui m'ont été utiles pour mieux comprendre la mentalité de mes compatriotes.

Parmi les problèmes les plus aigus liés à l'absence d'espoir, il y avait l'alcoolisme et la violence domestique. J'ai souvent vu des femmes au visage tuméfié. Ma compassion tombait à plat, car elles avaient toujours une excuse pour l'agresseur : « il était ivre », « il s'est mis en colère », « il a eu une crise de jalousie », « s'il me frappe, c'est parce qu'il m'aime », « qu'est-ce que j'ai donc fait pour le provoquer... ? ». On m'affirme que ça n'a pas beaucoup changé malgré les campagnes de prévention. Dans les paroles d'un tango très populaire, le garçon attend que sa gonzesse lui ait préparé son maté, puis « il lui donne trente-cinq coups de poignard ». Aujourd'hui, les carabiniers sont entraînés à faire irruption dans les maisons sans attendre qu'on leur ouvre gentiment la porte ou qu'apparaisse par la fenêtre un cadavre lardé de trente-cinq coups de couteau ; mais il y a encore beaucoup à faire. Et ne parlons pas de la manière dont on bat les enfants ! A chaque instant paraît dans la presse un cas horrible d'enfants torturés ou morts sous les coups de leurs parents. D'après la Banque interaméricaine de développement, l'Amérique latine est l'une des régions les plus violentes au monde, au deuxième rang après l'Afrique. La violence dans la société commence dans les foyers ; on ne peut éliminer le crime dans les rues si l'on ne s'attaque pas aux mauvais traitements domestiques, car les enfants battus deviennent souvent des adultes violents. Actuellement, c'est un sujet de débats, la presse le dénonce, il existe des refuges, des programmes d'éducation et de protection policière pour les victimes, mais à l'époque, c'était un sujet tabou.

Dans la population il y avait une conscience de classe, l'orgueil d'appartenir au prolétariat, ce qui m'a semblé surprenant dans une société aussi arriviste que la société chilienne. J'ai ensuite découvert que l'arrivisme était le propre de la classe moyenne ; les pauvres ne l'imaginaient même pas, ils étaient trop occupés à essayer de survivre. Au cours des années qui ont suivi, ces communautés ont acquis une éducation politique, elles se sont organisées et sont devenues un terrain fertile pour les partis de gauche. Dix ans plus tard, en 1970, elles ont été déterminantes dans l'élection de Salvador Allende, en conséquence de quoi elles allaient subir la plus grande répression pendant la dictature militaire.

*

J'ai pris le journalisme très au sérieux, en dépit du fait que mes collègues d'alors aient cru que j'inventais mes reportages. Je ne les inventais pas, je ne faisais qu'un peu exagérer. Il m'en est resté plusieurs manies : je vais encore à la chasse aux nouvelles et aux histoires, ayant toujours un crayon et un carnet dans mon sac pour noter ce qui attire mon attention. Ce que j'ai appris à cette époque me sert aujourd'hui en littérature : travailler sous pression, mener une interview, faire une enquête, employer le langage de façon efficace. Je n'oublie pas que le livre n'est pas une fin en soi. Tout comme un journal ou une revue, ce n'est qu'un moyen de communication, c'est pourquoi j'essaie d'attraper le lecteur par le cou et de ne plus le lâcher jusqu'à la fin. Je n'y arrive pas toujours, bien sûr, le lecteur est en général évasif. Qui est ce lecteur ? Quand les Américains ont arrêté au Panama le général Noriega, qui était tombé en disgrâce, ils n'ont trouvé que deux livres chez lui : la Bible et *La Maison aux esprits*. On ne sait pas pour qui on écrit. Chaque livre est un message lancé dans une bouteille à la mer dans l'espoir qu'il atteindra l'autre rive. Je me sens très reconnaissante quand quelqu'un le trouve et le lit, surtout quelqu'un comme Noriega.

Entre-temps, l'oncle Ramón avait été nommé représentant du Chili aux Nations unies à Genève. Les lettres que ma mère et moi échangions tardaient moins que lorsqu'elle séjournait en Turquie, et de temps en temps nous pouvions nous parler au téléphone. Lorsque notre fille Paula eut dix-huit mois, mon mari obtint une bourse pour faire des études d'ingénieur en Belgique. Sur la carte, Bruxelles semblait tout près de Genève et je ne voulus pas laisser passer l'occasion de rendre visite à mes parents. Oubliant la promesse que j'avais faite de prendre racine et de ne voyager à l'étranger sous aucun motif, nous avons fait nos valises et sommes partis pour l'Europe. Ce fut une excellente décision, entre autres raisons parce que je pus faire des études de radio et de télévision et améliorer mon français, que je ne pratiquais plus depuis mon séjour au Liban. Au cours de cette année, je découvris le Mouvement de libération féminine et compris que je n'étais pas la seule sorcière en ce monde ; nous étions nombreuses.

En Europe, peu de gens avaient entendu parler du Chili ; le pays devint à la mode quatre ans plus tard, avec l'élection de Salvador Allende. Il le fut de nouveau avec le coup d'Etat militaire de 1973, avec la série des violations des droits de l'homme et, enfin, avec l'arrestation de l'ancien dictateur à Londres en 1998. Chaque fois que notre pays a fait la « une », ce fut à la suite d'événements politiques très importants, sauf lorsqu'il apparaît brièvement dans la presse à l'occasion d'un tremblement de terre. Si l'on me demandait ma nationalité, je devais fournir de longues explications et dessiner une carte pour démontrer que le Chili n'était pas au centre de l'Asie, mais au sud de l'Amérique. Souvent, le nom ayant la même consonance, on le confondait avec la Chine. Les Belges, habitués à leurs colonies d'Afrique, étaient en général surpris que mon mari ressemble à un

Anglais et que je ne sois pas noire ; il est arrivé qu'ils me demandent pourquoi je ne portais pas le costume typique, qu'ils imaginaient peut-être comme les robes de Carmen Miranda dans les films d'Hollywood : une jupe à pois et une corbeille d'ananas sur la tête. Nous avons parcouru l'Europe des pays scandinaves jusqu'au sud de l'Espagne dans une Volkswagen brinquebalante, dormant sous la tente et nous nourrissant de saucisses, de viande de cheval et de pommes de terre frites. Ce fut une année de tourisme frénétique.

Nous sommes rentrés au Chili en 1966 avec notre fille Paula, qui à trois ans parlait avec la correction d'un académicien et était devenue experte en cathédrales, et Nicolas dans mon ventre. Par comparaison avec l'Europe, où l'on voyait partout des *hippies* chevelus, où se fomentaient des révolutions d'étudiants et se célébrait la libération sexuelle, le Chili était très ennuyeux. Une fois de plus je me sentis étrangère, mais renouvelai ma promesse de prendre racine et de ne plus bouger de là.

Tout de suite après la naissance de Nicolas, je me remis à travailler, cette fois dans une revue féminine appelée *Paula*, qui venait de paraître sur le marché. C'était la seule qui plaidait la cause du féminisme et exposait des thèmes qui n'avaient jamais été abordés jusqu'alors, tels que le divorce, la contraception, la violence domestique, l'adultère, l'avortement, la drogue, la prostitution. Si l'on considère qu'à cette époque on ne pouvait prononcer le mot chromosome sans rougir, nous étions d'une audace suicidaire.

Le Chili est un pays hypocrite, pudibond et plein de scrupules en ce qui concerne la sensualité ; nous avons même une expression créole pour définir cette attitude : nous sommes *cartuchos* (des « cartouches » !). Il y a une double morale. La promiscuité est tolérée chez les hommes, mais les femmes doivent faire comme si seuls l'amour et la romance les intéressaient, surtout pas le sexe, bien que dans la pratique elles jouissent de la même liberté que les hommes – sinon, avec qui le feraient-ils ? Les jeunes filles ne doivent jamais paraître collaborer ouvertement avec le mâle dans le processus de la séduction, mais emprunter des détours. On suppose que si elles sont « difficiles », le prétendant restera intéressé et les respectera ; dans le cas contraire, on use d'épithètes fort peu gracieuses pour les qualifier. C'est là une autre manifestation de notre hypocrisie, un autre de nos rituels visant à sauver les apparences, car en réalité il y a autant d'adultères, d'adolescentes enceintes, d'enfants hors mariage et d'avortements que dans n'importe quel autre pays. Une amie gynécologue, spécialisée dans les soins aux adolescentes célibataires qui attendent un enfant, affirme que cela arrive rarement chez les étudiantes. Cela arrive dans les familles qui ont moins de ressources, où les parents tiennent à donner une éducation et des chances aux garçons, pas aux filles. Ces gamines n'ont pas de projets, leur avenir est grisâtre, elles manquent d'éducation et d'estime de soi ; certaines se retrouvent enceintes par pure ignorance. Elles sont surprises de découvrir leur état, parce qu'elles ont suivi à la lettre l'avertissement de ne « coucher » avec personne. Ce qui se passe debout derrière une porte ne compte pas.

Plus de trente ans ont passé depuis que la revue *Paula* a pris d'assaut la pudibonde société chilienne, et personne ne peut nier qu'elle a eu l'effet d'un ouragan. Chacun des reportages polémiques de la revue mettait mon grand-père au bord de la crise cardiaque ; nous discutions en criant, mais le lendemain je revenais lui rendre visite et il me recevait comme si de rien n'était. A ses débuts le féminisme, que nous tenons aujourd'hui pour acquis, était une extravagance, et la plupart des Chiliennes demandaient à quoi il servait, si de toute façon elles étaient reines chez elles ; il leur semblait naturel que les hommes commandent au-dehors, comme l'avaient établi Dieu et la nature. Les convaincre qu'elles n'étaient reines nulle part représentait un véritable combat. Les féministes étaient rares, tout au plus en comptait-on une demi-douzaine. Mieux vaut oublier toutes les attaques que nous avons subies ! Je me suis rendu compte qu'attendre qu'on vous respecte en tant que féministe revient à attendre que le taureau ne vous attaque pas parce que vous êtes végétarienne. J'ai également refait de la télévision, cette fois pour présenter une émission humoristique, grâce à quoi j'ai acquis une certaine célébrité, comme cela arrive à toute personne qui apparaît régulièrement sur le petit écran. Bientôt, toutes les portes s'ouvrirent devant moi, les gens me saluaient dans la rue et, pour la première fois de ma vie, je me sentis bien quelque part.

Le charme discret de la bourgeoisie

Je me demande souvent en quoi consiste exactement la nostalgie. Dans mon cas, ce n'est pas tant le désir de vivre au Chili que celui de retrouver l'assurance avec laquelle je m'y déplace. C'est mon territoire. Chaque peuple a ses coutumes, ses manies, ses complexes. Je connais l'idiosyncrasie du mien comme la paume de mes mains, rien ne me surprend, je peux prévoir les réactions des autres, je comprends ce que signifient les gestes, les silences, les formules de politesse, les réactions ambiguës. Il n'y a que là que je me sente socialement à l'aise, bien que j'agisse rarement comme on l'attend de moi, parce que je sais comment me comporter et que les bonnes manières me prennent rarement en défaut.

Lorsque à quarante-cinq ans et divorcée de fraîche date j'émigrai aux Etats-Unis, obéissant à l'appel de mon cœur impulsif, la première chose qui me surprit fut l'attitude infailliblement optimiste des Américains, si différente de celle des personnes du sud du continent, qui s'attendent toujours à ce qu'arrive le pire. Et bien sûr, il arrive. Aux États-Unis, la Constitution garantit le droit de chercher le bonheur, ce qui partout ailleurs serait une honteuse prétention. Ce peuple croit en outre avoir le droit de toujours être diverti : si l'un de ces droits lui manque, il se sent lésé. Le reste du monde pense au contraire que la vie est le plus souvent dure et ennuyeuse, aussi célèbre-t-il avec emphase les étincelles de joie et les distractions, aussi modestes soient-elles, lorsque celles-ci se présentent.

Au Chili, il est quasiment impoli de se proclamer trop satisfait, car cela peut irriter les moins heureux, voilà pourquoi chez nous la réponse correcte à la question « comment vas-tu ? » est « couci-couça » – ce qui donne l'occasion de sympathiser avec la situation de l'autre. Par exemple, si votre interlocuteur vous raconte qu'on vient de lui diagnostiquer une maladie fatale, il serait vraiment de mauvais goût de lui jeter à la figure que vous allez bien, n'est-ce pas ? Mais s'il vient d'épouser une riche héritière, vous avez toute liberté de confesser votre propre bonheur sans crainte de blesser qui que ce soit. Telle est l'idée du « couci-couça », qui provoque en général un léger trouble chez les étrangers en visite : donner le temps de tâter le terrain et de ne pas commettre d'impair. D'après les sociologues, quarante pour cent des Chiliens souffrent de dépression, surtout les femmes, qui doivent supporter les hommes. Il faut également tenir compte du fait – comme je l'ai déjà dit – que notre pays connaît de grands malheurs et qu'il y a de nombreux pauvres, aussi n'est-il pas élégant d'évoquer sa propre chance. L'un de mes parents a touché deux fois le gros lot à la loterie, mais il disait toujours qu'il allait « couci-couça », afin de ne pas offenser. Au passage, il vaut la peine de raconter comment ce prodige est arrivé. C'était un homme très catholique, qui en tant que tel n'a jamais voulu entendre parler de contraceptifs. A la naissance de son septième enfant, il se rendit à l'église, s'agenouilla devant l'autel et, désespéré, parla en tête à tête avec son Créateur : « Seigneur, si tu m'as donné sept enfants, tu pourrais bien m'aider à les nourrir... », expliqua-t-il, puis il sortit de sa poche une longue liste de dépenses, qu'il avait soigneusement préparée. Dieu écouta patiemment les arguments de son fidèle serviteur et, tout de suite après, lui révéla dans un rêve le numéro gagnant à la loterie. Les millions servirent pendant plusieurs années, mais l'inflation, qui à cette époque était un mal endémique au Chili, réduisit le capital, d'autant que la famille s'agrandissait. Lorsque naquit le dernier de ses enfants, le onzième, l'homme retourna à l'église pour discuter de sa situation, et de nouveau Dieu s'attendrit et lui envoya un autre rêve prémonitoire. La troisième fois, cela n'eut aucun résultat.

Dans ma famille, le bonheur était sans importance. Mes grands-parents, comme l'immense majorité des Chiliens, auraient été ébahis d'apprendre que des gens sont disposés à dépenser de l'argent dans une psychothérapie pour surmonter leur malheur. Pour eux, la vie était difficile ; quant au reste, c'étaient des bêtises. On trouvait de la satisfaction dans la bonne action, la famille, l'honneur, l'esprit serviable, l'étude et la force personnelle. Le bonheur était présent sous bien des formes dans nos vies, et je suppose que l'amour n'était pas la moins importante ; mais nous ne parlions pas non plus de cela, nous serions morts de honte avant de prononcer ce mot. Les sentiments jaillissaient silencieusement. Contrairement à la plupart des Chiliens, nous avions un minimum de contact physique et personne ne cajolait les enfants. L'habitude moderne consistant à louer tout ce que font les gosses comme si c'était une chose extraordinaire n'avait pas cours à cette époque ; cette anxiété de les élever sans traumatismes n'existait pas non plus. Heureusement, car si j'avais grandi protégée et heureuse, sur quoi diable écrirais-je aujourd'hui ? C'est pourquoi j'ai essayé de rendre l'enfance de mes petits-enfants la plus difficile possible, afin d'en faire des adultes créatifs. Leurs parents n'apprécient absolument pas mes efforts.

*

On ne prêtait aucune attention à l'apparence physique dans ma famille ; ma mère assure qu'elle n'a su qu'elle était jolie que passé quarante ans, car personne n'y avait jamais fait allusion. On peut dire qu'à cet égard nous étions des originaux, car au Chili les apparences sont essentielles. Les premiers mots qu'échangent deux femmes qui se rencontrent ont trait aux vêtements, à la coiffure ou au régime. Les seuls commentaires que font les hommes sur les femmes – dans leur dos, bien entendu –, c'est sur leur aspect physique, et en général ils le font en des termes très péjoratifs, sans se douter qu'elles leur rendent la pareille. Les choses que j'ai entendu mes amies dire sur les hommes feraient rougir une pierre de honte. Dans ma famille, il était également de mauvais goût de parler de religion et, surtout, d'argent ; en revanche, les maladies étaient à peu près les seules choses dont on parlait ; c'est le sujet passe-partout chez les Chiliens. Nous sommes des spécialistes dans l'échange de remèdes et de conseils médicaux ; là, tout le monde prescrit. Nous nous méfions des médecins, car il est évident que la santé des autres ne les arrange pas, aussi n'avons-nous recours à eux que lorsque tout le reste a échoué, après avoir essayé tous les remèdes que nos amis et connaissances nous ont recommandés.

Disons que vous vous évanouissez devant la porte du supermarché. Dans n'importe quel autre pays on appelle une ambulance, mais pas au Chili, où plusieurs volontaires vous relèvent, vous transportent à bout de bras derrière la buvette, vous jettent de l'eau froide sur le visage et vous versent une gorgée d'eau-de-vie dans le gosier pour vous faire revenir à vous ; puis ils vous obligent à avaler des pilules qu'une dame a sorties de son sac, car « une amie a souvent des attaques et ce remède est formidable ». Il y aura un chœur d'experts qui diagnostiqueront votre état en langage clinique, car tout citoyen ayant deux doigts de jugeote s'y connaît parfaitement en médecine. L'un de ces experts dira par exemple que vous avez eu une obturation d'une valvule dans le cerveau, mais un autre suspectera une double torsion des poumons et un troisième affirmera que votre pancréas a éclaté. En quelques minutes il y aura un brouhaha autour de vous, tandis qu'arrive quelqu'un qui a été à la pharmacie acheter de la pénicilline pour vous l'injecter, au cas où. Écoutez, si vous êtes étranger, je vous conseille de ne pas tomber dans les pommes dans un supermarché chilien, cela risque d'être une expérience fatale.

Nous avons une telle facilité à prescrire qu'au cours d'une croisière vers le sud dans un bateau de commerce, dont la destination était la visite de la merveilleuse lagune de San Rafael, on nous a donné des somnifères au dessert. Au moment du dîner le capitaine a informé les passagers que nous allions traverser un passage particulièrement houleux, puis sa femme est passée de table en table pour distribuer des pilules en vrac, dont personne n'a osé demander le nom. Obéissants, nous les avons avalées, et vingt minutes plus tard tous les passagers ronflaient sagement, comme dans le conte de la Belle au bois dormant. Mon mari m'a dit qu'aux Etats-Unis on aurait traîné le capitaine et sa femme en justice pour avoir anesthésié les passagers. Au Chili, nous leur étions très reconnaissants.

*

Autrefois, dès qu'au moins deux personnes se retrouvaient, le sujet de rigueur était la politique ; s'il y avait deux Chiliens dans une pièce, il y avait sûrement trois partis politiques. Je crois qu'à une époque nous avons eu plus d'une douzaine de mini-partis socialistes ; même la droite, qui dans le reste du monde est monolithique, était chez nous divisée. Mais la politique a cessé de nous passionner ; nous n'y faisons référence que pour nous plaindre du gouvernement, l'une des activités nationales les plus prisées. Nous ne votons plus religieusement, comme au temps où des citoyens moribonds arrivaient sur des brancards pour accomplir leur devoir civique; il n'y a plus comme avant des cas de femmes qui accouchaient au moment de voter. Les jeunes ne s'inscrivent pas sur les registres électoraux; 84,3 pour cent d'entre eux pensent que les partis politiques ne représentent pas leurs intérêts, et un plus grand nombre se dit satisfait de ne participer en rien à la conduite des affaires du pays. A ce qu'il semble, c'est un phénomène du monde occidental. Les jeunes ne s'intéressent plus à des schémas politiques fossilisés qui se traînent depuis le XIXe siècle; ils se préoccupent de bien vivre et de prolonger leur adolescence le plus longtemps possible, disons jusqu'à quarante ou cinquante ans. Ne soyons pas injuste, il y en a aussi qui militent en faveur de l'écologie, de la science, de la technologie; on en connaît même qui effectuent un travail social à travers les Eglises.

Les sujets qui ont remplacé la politique dans la population chilienne sont l'argent, qui manque toujours, et le football, qui tient lieu de consolation. Même le dernier analphabète connaît les noms des joueurs qui sont passés dans notre histoire, et il a sa propre opinion sur chacun d'eux. Ce sport est si important qu'il n'y a pas âme qui vive dans les rues lorsque se joue un match, car toute la population se trouve en état catatonique devant le téléviseur. Le football est l'une des rares activités humaines qui fassent la preuve de la relativité du temps : on peut arrêter le gardien de but en l'air pendant trente secondes, répéter la même scène plusieurs fois au ralenti ou d'avant en arrière et, grâce au changement d'heure entre les continents, voir à Santiago un match entre Hongrois et Allemands avant qu'il n'ait eu lieu.

Dans notre maison, comme dans le reste du pays, on ne dialoguait pas ; les réunions consistaient en une série de monologues simultanés, sans que personne écoute personne, ce n'était que pagaille et statique, comme une transmission radio sur ondes courtes. Peu importait, car on ne se préoccupait pas non plus de savoir ce que les autres pensaient, seulement de répéter sa propre histoire. Dans ses vieux jours, mon grand-père refusa de porter un appareil auditif, car il considérait que la seule bonne chose de son grand âge était de ne pas avoir à écouter les bêtises que racontent les gens. Comme l'a exprimé de façon éloquente le général César Mendoza en 1983 : « Nous abusons du mot dialogue. Il y a des cas où le dialogue n'est pas nécessaire. Mieux vaut un monologue, car un dialogue est une simple conversation entre deux personnes. » Ma famille aurait été complètement d'accord avec lui.

Nous autres Chiliens avons tendance à parler d'une voix de fausset. Mary Graham, une Anglaise qui visita le pays en 1882, commenta dans son livre, *Journal de mon séjour au Chili*, que les gens étaient charmants, mais qu'ils avaient un ton de voix désagréable, surtout les femmes. Nous avalons la moitié des mots, aspirons le « s » et changeons les voyelles, si bien que *Como estas, pues?* (« Comment vas-tu donc? ») devient *Com taï pouh* et le mot *señor* peut devenir *iñol.* Il existe au moins trois langages notoires : le langage formel qu'on utilise dans les médias, dans les affaires officielles et que parlent quelques membres de la haute société lorsqu'ils ne sont pas en confiance; le langage familier, qu'emploie le peuple; et le dialecte indéchiffrable et constamment changeant des jeunes. L'étranger en visite ne doit pas désespérer, car même s'il ne comprend pas un mot, il verra que les gens se mettent en quatre pour l'aider. En plus, nous parlons tout bas et soupirons beaucoup. Lorsque j'ai vécu au Venezuela, où les hommes et les femmes sont très sûrs d'eux et du terrain sur lequel ils marchent, il était facile de reconnaître mes compatriotes par leur façon de marcher comme des espions incognito et par cette intonation particulière qui donne toujours l'impression qu'ils sont en train de s'excuser. Je passais chaque matin à la boulangerie des Portugais prendre ma première tasse de café de la journée, où se pressait toujours une foule de clients qui luttaient pour s'approcher du comptoir. Les Vénézuéliens criaient depuis la porte : *Un marroncito, vale!* (« Eh mec, un café crème! »), et aussitôt, passant de main en main, la tasse en carton contenant le café au lait arrivait jusqu'à eux. Les Chiliens, qui à cette époque étaient nombreux – car le Venezuela fut l'un des rares pays latino-américains à recevoir des réfugiés et des émigrants –, levaient un doigt tremblant et suppliaient dans un filet de voix : *Por favorcito, me da un cafecito, señor?* (« S'il vous plaît, monsieur, vous me donnez un petit café ? ») Nous pouvions attendre en vain toute la matinée. Les Vénézuéliens se moquaient de nos manières de mouche du coche, et nous, les Chiliens, leur rudesse nous effrayait. Le caractère de ceux qui ont vécu plusieurs années dans ce pays a changé et nous avons appris, entre autres choses, à demander notre café à grands cris.

*

Après avoir précisé quelques points sur le caractère et les coutumes des Chiliens, on comprend les doutes de ma mère : je n'avais aucune raison d'être comme je suis. Je ne possède en rien la réserve, la modestie ou le pessimisme de mes parents ; en rien leur crainte du qu'en-dira-t-on, de la dissipation et de Dieu ; je ne parle ni n'écris au diminutif, je suis plutôt grandiloquente et j'aime attirer l'attention. C'est-à-dire que je suis ainsi maintenant, après avoir beaucoup vécu. Dans mon enfance j'ai été un drôle de phénomène, adolescente, un timide rongeur – longtemps mon surnom fut *laucha*, comme nous appelons les insignifiantes souris domestiques – et dans ma jeunesse je fus un peu tout, de féministe irascible à hippie couronnée de fleurs. Le plus grave, c'est que je raconte mes secrets et ceux des autres. Bref, une véritable catastrophe. Si je vivais au Chili, personne ne m'adresserait la parole. Mais j'ai le sens de l'hospitalité, c'est incontestable. Au moins a-t-on réussi à m'inculquer cette vertu dans mon enfance. Frappez à ma porte à n'importe quelle heure du jour ou de la nuit et, même si je viens de me casser la jambe, je viendrai en courant vous ouvrir la porte et vous offrir le premier *tecito* (« petit thé »). Pour tout le reste, je suis l'antithèse de la dame que mes parents, à grands frais, ont essayé de faire de moi. Ce n'est pas leur faute, simplement, la matière première a manqué, et en plus mon destin a mal tourné.

Si j'étais restée dans ma patrie, comme je l'ai toujours souhaité, et m'étais mariée avec l'un de mes cousins au deuxième degré, dans le cas improbable où l'un d'eux me l'eût proposé, peut-être aujourd'hui porterais-je avec dignité le sang de mes ancêtres, et peut-être le blason aux chiens couverts de puces acquis par mon père serait-il accroché à la place d'honneur dans ma maison. Je dois ajouter que, aussi rebelle que j'aie été dans ma vie, je respecte les règles de politesse rigides qu'on m'a inculquées à coups de trique, comme il convient à une personne « décente ». Être décent était fondamental dans ma famille. Ce mot renfermait bien plus que ce qu'il est possible d'expliquer dans ces pages, mais je peux dire que les bonnes manières constituaient sans doute un fort pourcentage de cette présumée décence.

Je me suis quelque peu égarée et je dois retrouver le fil, s'il y a un fil dans cette divagation. Ainsi est la nostalgie : une danse lente et circulaire. Les souvenirs ne s'organisent pas chronologiquement, ils sont comme la fumée, si changeants et éphémères que si on ne les écrit pas ils disparaissent dans l'oubli. J'essaie d'organiser ces pages par thèmes ou époques, mais cela est presque un artifice à mes yeux, vu que la mémoire va et vient, comme un interminable anneau de Moebius.

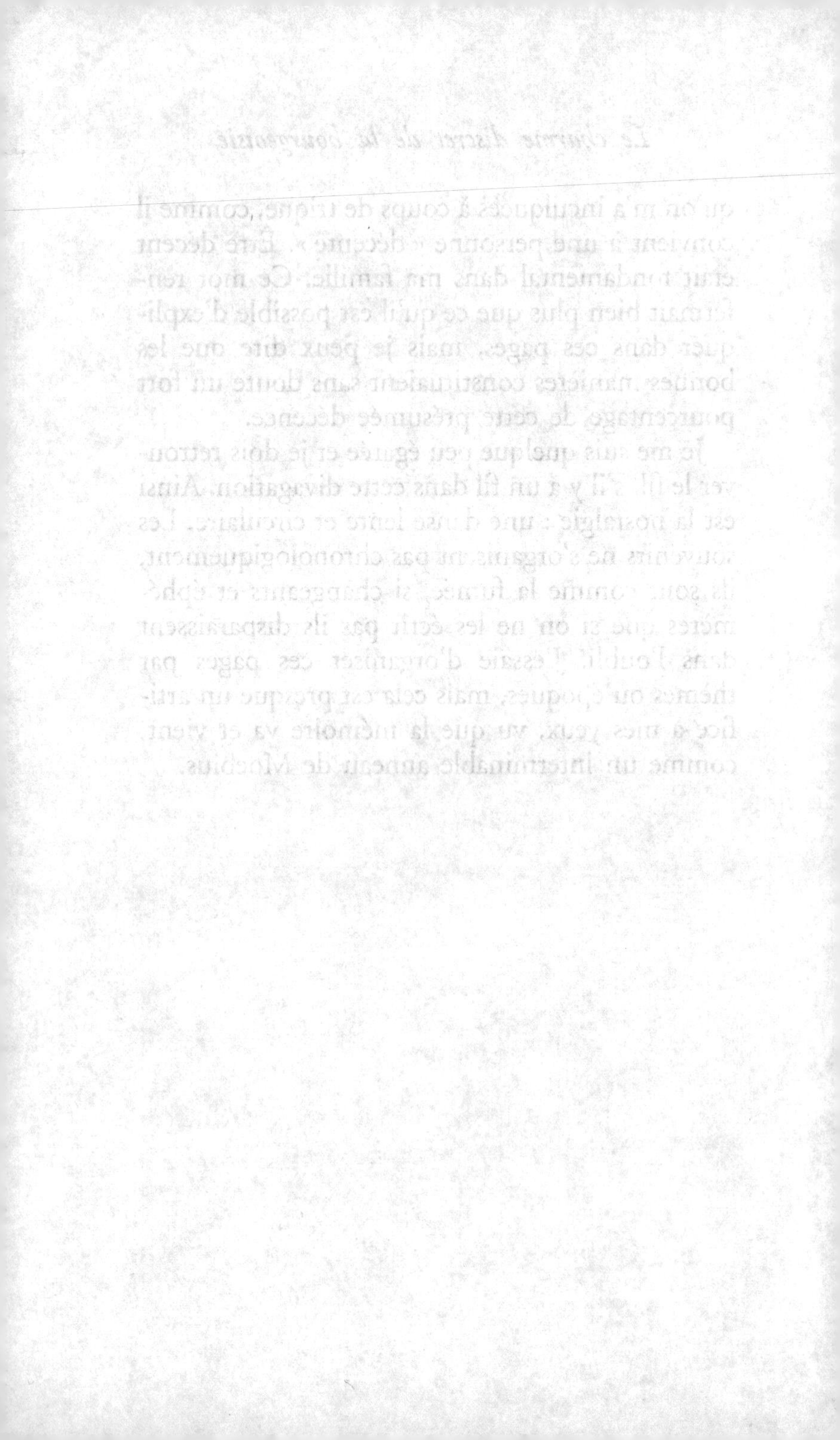

Un souffle d'histoire

Et puisque nous parlons de nostalgie, je vous demande un peu de patience, car je ne peux séparer le thème du Chili de ma propre vie. Mon destin est fait de passions, de surprises, de succès et de pertes ; il n'est pas facile de le raconter en deux ou trois phrases. Je suppose qu'il y a dans toute vie humaine des moments où la chance tourne, où le cap change et où il faut partir dans une autre direction. Dans la mienne, cela est arrivé plusieurs fois, mais sans doute l'un des événements les plus décisifs fut-il le coup d'Etat militaire de 1973. Si cet événement n'avait pas eu lieu, je n'aurais sûrement jamais quitté le Chili, je ne serais pas écrivain ni mariée à un Américain de Californie ; cette longue nostalgie ne m'accompagnerait pas non plus, et je ne serais pas aujourd'hui en train d'écrire ces pages. Cela m'amène inévitablement à la politique. Pour comprendre comment le coup d'Etat militaire a eu lieu, je dois brièvement évoquer notre histoire politique, depuis ses débuts jusqu'au général

Augusto Pinochet, qui est aujourd'hui un grand-père sénile en résidence surveillée, mais dont il est impossible d'ignorer l'importance. Il ne manque pas d'historiens pour le considérer comme la figure politique la plus singulière du XXe siècle, bien que cela ne soit pas nécessairement un jugement favorable.

Au Chili, le pendule politique a oscillé d'un extrême à l'autre : nous avons essayé tous les systèmes politiques existants et en avons subi les conséquences ; il n'est donc pas étonnant que nous ayons plus d'essayistes et d'historiens au mètre carré que toute autre nation au monde. Nous ne cessons de nous observer ; nous avons le vice d'analyser notre réalité comme si c'était un problème permanent exigeant des solutions urgentes. Les grosses têtes qui s'abîment les yeux à nous étudier sont des raseurs hermétiques : on ne comprend pas un mot de ce qu'ils disent, si bien que personne ne fait grand cas de ce qu'ils racontent, mais cela ne les décourage pas, bien au contraire ; ils publient chaque année des centaines de travaux académiques, tous très pessimistes. Chez nous, le pessimisme est de bon ton, on suppose que seuls les idiots sont contents. Nous sommes un pays en voie de développement, le plus stable, le plus sûr et le plus prospère d'Amérique latine, et l'un des mieux organisés, mais cela nous dérange énormément que quelqu'un affirme que le « pays va pour le mieux ». Celui qui ose le dire sera traité d'ignorant qui ne lit pas les journaux.

*

Depuis son indépendance en 1810, le Chili a été dirigé par la classe sociale qui détient le pouvoir économique. Autrefois c'étaient des propriétaires terriens, aujourd'hui ce sont des chefs d'entreprise, des industriels, des banquiers. Autrefois ils appartenaient à une petite oligarchie descendant d'Européens, composée d'une poignée de familles ; aujourd'hui la classe dirigeante est plus étendue, ce sont quelques milliers de personnes qui tiennent le manche de la poêle. Pendant les cent premières années de la république, les présidents et les hommes politiques étaient issus de la haute bourgeoisie, mais ensuite la petite bourgeoisie a elle aussi participé au gouvernement. Rares, cependant, étaient ceux qui provenaient de la classe ouvrière. Les présidents qui avaient une conscience sociale furent des hommes émus par l'inégalité, l'injustice et la misère du peuple, même s'ils n'en souffraient pas personnellement. Aujourd'hui, le président et la majorité des hommes politiques, à l'exception de quelques-uns appartenant à la droite, ne font pas partie du groupe économique qui contrôle réellement le pays. Nous vivons donc en ce moment le paradoxe suivant : le pays est gouverné par une coalition de centre et de gauche (la Concertation), avec un président socialiste, mais l'économie est néocapitaliste.

L'oligarchie conservatrice a gouverné le pays avec une mentalité féodale jusqu'en 1920. La seule exception fut le président libéral José Manuel Balmaceda en 1891 : bien que lui-même fût issu d'une famille puissante, propriétaire d'une immense exploitation agricole, il pressentit les besoins du peuple et tenta de mener à bien des réformes qui heurtaient les intérêts des patrons. Le parlement conservateur s'opposa férocement à lui, il y eut une crise politique et sociale, la Marine se souleva pour appuyer le parlement et une cruelle guerre civile éclata, qui s'acheva avec la victoire du parlement et le suicide de Balmaceda. Mais les semences des idées socialistes avaient été plantées, et au cours des années suivantes on vit apparaître le parti radical et le parti communiste.

En 1920 fut élu pour la première fois un dirigeant qui prêchait la justice sociale, Arturo Alessandri Palma, surnommé *el León*, « le Lion », appartenant à la petite bourgeoisie, deuxième génération d'immigrés italiens. Bien que sa famille ne fût pas riche, son ascendance européenne, sa culture et son éducation le plaçaient tout naturellement dans la classe dirigeante. Il promulgua des lois sociales et sous son gouvernement les travailleurs s'organisèrent et eurent accès aux partis politiques. Alessandri proposa de modifier la Constitution pour établir une véritable démocratie, mais les forces conservatrices d'opposition l'en empêchèrent, bien que la majorité des Chiliens, surtout la classe moyenne, l'appuyât. Le parlement (toujours lui !) lui rendit difficile la tâche de gouverner, exigeant qu'il abandonnât la charge et s'exilât en Europe. Des juntes militaires successives essayèrent de gouverner, mais le pays perdit le nord et la clameur populaire exigea le retour du « Lion », qui termina son mandat en promulguant une nouvelle Constitution.

Les Forces armées, qui se sentaient écartées du pouvoir et pensaient que le pays leur devait beaucoup, vu leurs victoires dans les guerres du XIXe siècle, installèrent à la présidence, par la force, le général Carlos Ibáñez del Campo. Rapidement Ibáñez prit des mesures dictatoriales, qui jusqu'alors avaient été étrangères aux Chiliens ; cela provoqua une opposition civile si forte que le pays fut paralysé et que le général dut donner sa démission. Alors s'ouvrit une période que nous pouvons qualifier de saine démocratie. Des alliances de partis se formèrent et la gauche accéda au pouvoir avec le président Pedro Aguirre Cerda, du Front populaire, auquel participèrent le parti communiste et le parti radical. A la suite de Pedro Aguirre Cerda, Ibáñez le destitué s'unit aux forces de gauche, après quoi se succédèrent trois présidents radicaux consécutifs. (Je n'étais alors qu'une gamine, mais je me souviens que lorsque Ibáñez fut élu pour la deuxième fois, nous étions en deuil dans la famille. Depuis mon coin sous le piano j'entendais les pronostics apocalyptiques de mon grand-père et de mes oncles ; j'ai passé des nuits sans dormir, convaincue que les troupes ennemies allaient raser notre maison. Rien de cela n'arriva. Le général avait retenu la leçon de la première fois et il respecta la loi.) Pendant vingt ans il y eut des gouvernements de centre gauche, jusqu'en 1958, qui vit la droite triompher avec Jorge Alessandri, le fils du « Lion », bien différent de son père. Le « Lion » était populiste, il avait des idées avancées pour son temps et une personnalité extraordinaire ; son fils était conservateur et son image était d'un homme plutôt timoré.

Alors que dans la plupart des autres pays latino-américains se succédaient les révolutions et que les dictateurs s'emparaient du pouvoir par la force, au Chili se consolidait une démocratie exemplaire. Pendant la première moitié du XXe siècle les progrès sociaux se concrétisèrent. L'éducation d'Etat, gratuite et obligatoire, la santé publique à la portée de tous et l'un des systèmes de sécurité sociale les plus avancés du continent permirent le renforcement d'une large classe moyenne éduquée et politisée, ainsi que d'un prolétariat ayant une conscience de classe. Des syndicats se formèrent, des centrales d'ouvriers, d'employés, d'étudiants. Les femmes obtinrent le droit de vote et les processus électoraux se perfectionnèrent. (Une élection au Chili est aussi civilisée que l'heure du thé à l'hôtel Savoy de Londres. Les citoyens font la « queue » pour voter, sans que jamais se produise la moindre altercation, bien que les esprits politiques soient échauffés. Hommes et femmes votent dans des locaux séparés, surveillés par les soldats, pour éviter les désordres ou l'insubordination. On ne vend pas d'alcool à partir de la veille, les commerces et les bureaux sont fermés ; ce jour-là on ne travaille pas.)

La préoccupation pour la justice sociale a aussi atteint l'Église catholique, qui a une énorme influence au Chili ; sur la base des nouvelles encycliques, elle a fait de grands efforts pour appuyer les changements qui s'étaient produits dans le pays. Pendant ce temps dans le monde s'affirmaient deux systèmes politiques opposés : le capitalisme et le socialisme. En Europe, pour faire front au marxisme, est née la démocratie chrétienne, parti du centre diffusant un message humaniste et communautaire. Au Chili, où l'on promettait une « révolution en liberté », la démocratie chrétienne l'emporta largement aux élections de 1964, battant la droite conservatrice et les partis de gauche. La victoire écrasante de Eduardo Frei Montalva, avec une majorité démocrate-chrétienne au parlement, marqua un tournant historique ; le pays avait changé, on supposait que c'en était fini de la droite, que la gauche n'aurait jamais sa chance et que la démocratie chrétienne gouvernerait pour les siècles des siècles, mais le plan échoua et en quelques années le parti perdit son appui populaire ; la droite ne fut pas pulvérisée, comme on l'avait pronostiqué, et la gauche, remise de sa défaite, s'organisa. Les forces étaient divisées en trois : droite, centre et gauche.

*

A la fin du mandat de Frei Montalva le pays était en pleine frénésie. Il y avait un désir de revanche de la part de la droite, qui se sentait expropriée de ses biens et craignait de perdre définitivement le pouvoir qu'elle avait toujours possédé, et un grand ressentiment de la part des classes populaires, qui ne s'étaient pas senties représentées par la démocratie chrétienne. Chacun des tiers présenta son candidat : Jorge Alessandri pour la droite, Radomiro Tomic pour la démocratie chrétienne et Salvador Allende pour la gauche.

Les partis de gauche s'unirent en une coalition, l'Unité populaire, qui incluait le parti communiste. Les Etats-Unis s'alarmèrent, bien que les sondages aient donné la droite gagnante, et ils investirent plusieurs millions de dollars pour combattre Allende. Les forces politiques étaient réparties de telle sorte qu'Allende, avec son projet de « la voie chilienne vers le socialisme », gagna de peu, avec trente-huit pour cent des votes. Comme il n'avait pas obtenu la majorité absolue, le Congrès devait ratifier l'élection. Traditionnellement, on avait toujours désigné le candidat ayant obtenu le plus de bulletins favorables. Allende était le premier marxiste à arriver à la présidence d'un pays par une élection démocratique. Les yeux du monde se tournèrent vers le Chili.

Salvador Allende Gossens était un médecin charismatique, qui avait été ministre de la Santé dans sa jeunesse, sénateur pendant de nombreuses années et l'éternel candidat de la gauche à la présidence. Lui-même disait en plaisantant qu'à sa mort on écrirait sur sa tombe : « Ci-gît le prochain président du Chili. » Il était courageux, loyal envers ses amis et collaborateurs, magnanime envers ses adversaires. On le traitait de vaniteux à cause de sa manière de s'habiller, de son goût pour la bonne chère et les belles femmes, mais il était très sérieux en ce qui concernait ses convictions politiques ; personne ne peut, dans ce domaine, l'accuser de frivolité. Ses ennemis préféraient ne pas l'affronter personnellement, car il avait la réputation de retourner n'importe quelle situation en sa faveur. Il avait l'intention de réaliser de profondes réformes économiques dans le cadre de la Constitution, d'étendre la réforme agraire commencée par le gouvernement précédent, de nationaliser des entreprises privées, des banques et les mines de cuivre, qui étaient entre les mains de compagnies américaines. Il proposait d'instaurer le socialisme en respectant tous les droits et libertés des citoyens, expérience qui n'avait jamais été tentée jusqu'alors.

La révolution cubaine avait déjà dix ans d'existence, malgré les efforts des Etats-Unis pour la détruire, et il y avait des mouvements guérilleros de gauche dans de nombreux pays latino-américains. Le héros incontesté de la jeunesse était le Che Guevara, assassiné en Bolivie, dont le visage de saint avec son béret et son cigare était devenu le symbole de la lutte pour la justice. C'était l'époque de la guerre froide, au cours de laquelle une paranoïa irrationnelle divisa le monde en deux idéologies et détermina la politique extérieure de l'Union soviétique et des Etats-Unis pendant plusieurs décennies. Le Chili fut l'un des pions sacrifiés dans ce conflit de titans. L'administration de Nixon décida d'intervenir directement dans le processus électoral chilien. Henry

Kissinger, chargé de la politique extérieure – il admettait ne rien connaître de l'Amérique latine, qu'il considérait comme l'arrière-cour des États-Unis –, dit qu'« il n'y avait pas de raison d'observer bras croisés la manière dont un pays devenait communiste du fait de l'irresponsabilité de son peuple ». (En Amérique latine circule cette histoire : Savez-vous pourquoi il n'y a pas de coups d'Etat militaire aux Etats-Unis ? Parce qu'il n'y a pas d'ambassade américaine.) La voie démocratique de Salvador Allende vers le socialisme paraissait à Kissinger plus dangereuse que la révolution armée, parce qu'elle pouvait contaminer le reste du continent, telle une épidémie.

La CIA conçut un plan pour éviter qu'Allende n'assume la présidence. Elle tenta d'abord de suborner quelques membres du Congrès pour qu'ils ne le désignent pas et appellent à un second tour d'élection, dans lequel il n'y aurait que deux candidats, Allende et un démocrate-chrétien appuyé par la droite. La corruption n'ayant pas eu le succès escompté, elle projeta de faire séquestrer le commandant en chef des Forces armées, le général René Schneider, par un supposé commando de gauche, qui était en réalité un groupe néo-fasciste, avec l'idée de provoquer le chaos et une intervention militaire. Le général fut tué de plusieurs balles lors de l'affrontement et le plan eut l'effet contraire : une vague d'horreur secoua le pays et, à l'unanimité, le Congrès accorda la présidence à Salvador Allende. A partir de ce moment, la droite et la CIA complotèrent pour renverser le gouvernement de l'Unité populaire, au prix même de la destruction de l'économie et de la longue histoire démocratique du Chili. Ils mirent en action le plan appelé « déstabilisation », qui consistait à couper les crédits internationaux et à engager une campagne de sabotage afin de conduire à la ruine économique et à la violence sociale. Simultanément, on séduisait par le chant des sirènes les militaires, qui en dernière instance représentaient la meilleure carte dans ce jeu.

*

La droite, qui contrôle la presse au Chili, organisa une campagne de terreur, avec des affiches montrant des soldats soviétiques en train d'arracher des enfants des bras de leurs mères pour les conduire dans les goulags. Le jour des élections, en 1970, lorsque la victoire d'Allende ne laissa aucun doute, le peuple sortit dans la rue pour fêter l'événement ; on n'avait jamais vu une manifestation populaire d'une telle ampleur. La droite avait fini par croire à sa propre propagande de la peur et se retrancha chez elle, convaincue que les « loqueteux » excités allaient commettre toutes sortes de violences. La joie du peuple fut extraordinaire – consignes, drapeaux et embrassades –, mais il n'y eut pas d'excès et à l'aube les manifestants se retirèrent dans leurs foyers, enroués d'avoir tellement chanté. Le lendemain, on vit de longues files devant les banques et les agences de voyage du haut quartier : de nombreuses personnes venaient retirer leur argent et achetaient des billets pour fuir à l'étranger, convaincues que le pays prenait le même chemin que Cuba.

Pour donner un appui au gouvernement socialiste, Fidel Castro vint en visite, ce qui aggrava la panique de l'opposition, surtout en voyant la réception qu'on donnait au commandant controversé. Le peuple se rassembla tout au long du chemin de l'aéroport jusqu'au centre de Santiago, sous la houlette des syndicats, des écoles, des unions professionnelles, des partis politiques, etc., avec des drapeaux, des étendards et des fanfares, sans compter l'immense masse anonyme qui alla regarder le spectacle par curiosité, avec le même enthousiasme qu'elle témoignerait en accueillant le pape quelques années plus tard. La visite du commandant cubain barbu dura trop longtemps : vingt-huit longs jours au cours desquels, accompagné par Allende, il parcourut le pays du nord au sud. Je crois que nous avons tous soupiré de soulagement lorsqu'il partit, nous étions exténués, mais on ne peut nier que sa suite laissa l'air plein de musique et de rire ; les Cubains furent charmants. Vingt ans plus tard, j'ai rencontré des exilés cubains à Miami et constaté qu'ils sont aussi sympathiques que ceux de l'île. Les Chiliens, toujours si sérieux et solennels, en furent secoués : nous ne savions pas que la vie et la révolution pouvaient se vivre dans une telle allégresse.

L'Unité populaire était populaire, mais elle n'était pas unie. Les partis de la coalition se battaient comme des chiens pour chaque parcelle de pouvoir et Allende devait affronter non seulement l'opposition de la droite, mais aussi les critiques dans ses rangs, qui exigeaient plus de rapidité et de radicalisme. Las d'attendre la nationalisation des entreprises privées et l'extension de la réforme agraire, les travailleurs occupaient des usines et des exploitations agricoles. Le sabotage de la droite, l'intervention américaine et les erreurs du gouvernement d'Allende provoquèrent une très grave crise économique, politique et sociale. L'inflation atteignit officiellement trois cent soixante pour cent par an, mais l'opposition affirmait qu'elle était de plus de mille pour cent, c'est-à-dire qu'une maîtresse de maison se réveillait le matin sans savoir ce qu'allait lui coûter le pain de la journée. Le gouvernement fixa les prix des produits de base ; des industriels et des agriculteurs firent faillite. La pénurie était telle que les gens passaient des heures à attendre pour trouver un poulet rachitique ou une tasse d'huile, mais ceux qui pouvaient payer achetaient ce qu'ils voulaient au marché noir. Avec leur façon pudique de s'exprimer et de se comporter, les Chiliens parlaient de la *colita* (« petite file »), même si celle-ci s'étirait tout au long de trois pâtés de maisons, et ils la faisaient en général sans savoir ce que l'on vendait, par pure habitude. Il y eut bientôt une psychose de désapprovisionnement, et dès que plus de trois personnes se retrouvaient ensemble elles se mettaient automatiquement en file. C'est ainsi que j'ai acheté des cigarettes, bien que je n'aie jamais fumé, onze pots de cire incolore pour faire briller les chaussures et un bidon d'extrait de soja, dont je ne sais absolument pas à quoi il peut servir. Certains étaient des professionnels des files, ils gagnaient des pourboires en gardant une place ; je soupçonne mes enfants d'avoir arrondi de cette façon leur mensualité.

Malgré les problèmes et le climat de confrontation permanente, le peuple était enthousiaste parce que, pour la première fois, il avait l'impression de tenir son destin entre ses mains. Une véritable renaissance se produisit dans les arts, le folklore, les mouvements populaires et estudiantins. Des masses de volontaires partirent alphabétiser dans tous les coins du Chili ; on publiait des livres au prix d'un journal, afin que chaque maison eût une bibliothèque. Pour leur part la droite économique, la classe aisée et un secteur de la classe moyenne, en particulier les mères de famille, qui souffraient du manque d'approvisionnement et du désordre, détestaient Allende et craignaient qu'il ne reste au gouvernement, comme Fidel Castro à Cuba.

*

Salvador Allende était un cousin de mon père et il fut la seule personne de la famille Allende qui resta en contact avec ma mère après le départ de son mari. C'était un grand ami de mon beau-père, si bien que j'eus plusieurs fois l'occasion de le rencontrer au cours de sa présidence. Bien que je n'aie pas collaboré avec son gouvernement, ces trois années de l'Unité populaire furent certainement les plus intéressantes de ma vie. Jamais je ne me suis sentie aussi vivante, et jamais depuis je n'ai participé aussi activement à une communauté ou aux événements d'un pays.

Dans la perspective actuelle, on peut dire que le marxisme est mort en tant que projet économique, mais je crois que certains des postulats de Salvador Allende sont toujours attrayants, comme la recherche de justice et d'égalité. Il s'agissait d'établir un système qui donnerait à tous les mêmes chances et de créer « l'homme nouveau », dont la motivation ne serait pas le gain personnel mais le bien commun. Nous avions la conviction qu'il est possible de changer les gens à force d'endoctrinement ; nous refusions de voir qu'en d'autres lieux, où l'on avait tenté d'imposer le système d'une main de fer, les résultats étaient plus que douteux. On ne percevait pas encore la débâcle du monde soviétique. La prémisse que la nature humaine est susceptible d'un changement aussi radical paraît aujourd'hui naïve, mais c'était alors la plus grande aspiration d'un grand nombre d'entre nous. Au Chili, cela prit à la manière d'un grand feu. Les caractéristiques propres aux Chiliens que j'ai déjà mentionnées : la tempérance, l'horreur de s'afficher, de se placer au-dessus des autres ou de se faire remarquer, la générosité, la tendance à transiger avant de s'affronter, la mentalité légaliste, le respect de l'autorité, la résignation face à la bureaucratie, le goût pour la discussion politique, et bien d'autres, trouvèrent parfaitement leur place dans le projet de l'Unité populaire. Même la mode en fut affectée. Pendant trois ans, dans les revues féminines, les mannequins apparurent vêtues de grossiers tissus artisanaux et de gros godillots prolétaires ; on utilisait des sacs de farine blanchis au chlore pour faire des corsages. J'étais quant à moi responsable de la section de la décoration dans la revue où je travaillais et mon défi était de photographier des ambiances accueillantes et agréables à un coût minimum : lampes faites avec des pots, tapis en toile d'étoupe, meubles de pin teints de couleur sombre et brûlés au chalumeau afin qu'ils aient l'air anciens. Nous les appelions « meubles de moines », l'idée étant que n'importe qui pouvait les réaliser chez soi avec quatre planches et une scie. C'était l'époque d'or du crédit appelé DFL 2, qui permettait d'acheter des maisons de cent quarante mètres carrés au maximum, à prix réduit, et en bénéficiant d'avantages fiscaux. La plupart des maisons et des appartements étaient de la taille d'un garage pour deux voitures ; la nôtre avait quatre-vingt-dix mètres carrés et nous paraissait un palais. Ma mère, responsable de la rubrique cuisine dans la revue *Paula*, devait inventer des recettes peu coûteuses ne comprenant pas de produits rares ; si l'on tient compte du fait qu'on manquait de tout, sa créativité était quelque peu limitée. Une artiste péruvienne qui vint en visite à cette époque demanda, surprise, pourquoi les Chiliennes s'habillaient comme des lépreuses, vivaient dans des niches à chien et mangeaient comme des fakirs.

Malgré les nombreux problèmes que la population eut à affronter à cette époque, de la pénurie de ravitaillement à la violence politique, trois ans plus tard l'Unité populaire augmenta le nombre de ses sièges aux élections parlementaires de mars 1973. Les efforts pour faire tomber le gouvernement par le sabotage et la propagande n'avaient pas donné les résultats attendus ; l'opposition entra alors dans la dernière étape de la conspiration et provoqua un coup d'Etat militaire. Nous n'avions aucune idée de ce que cela signifiait, car nous avions joui d'une longue et solide démocratie et nous vantions d'être différents des autres pays du continent – que nous qualifiions avec mépris de « républiques bananières » –, où à chaque instant un dictateur s'emparait du pouvoir par les armes. Non, cela ne nous arriverait jamais, affirmions-nous, parce que au Chili même les soldats étaient des démocrates et que personne n'oserait violer notre Constitution. C'était pure ignorance, car si nous avions révisé notre histoire, nous aurions mieux connu la mentalité militaire.

*

En enquêtant pour mon roman, *Portrait sépia*, publié en l'an 2000, j'appris qu'au XIXe siècle nos Forces armées avaient mené plusieurs guerres, au cours desquelles elles avaient fait preuve d'autant de cruauté que de courage. L'un des moments les plus célèbres de notre histoire fut la prise du *morro* d'Arica (juin 1880) pendant la guerre du Pacifique, contre le Pérou et la Bolivie. Le *morro* est un haut promontoire inexpugnable, tombant de deux cents mètres à la verticale dans la mer, où se trouvaient de nombreuses troupes péruviennes équipées d'artillerie lourde, défendues sur trois kilomètres par un parapet de sacs de sable et entourées d'un champ de mines. Les soldats chiliens se lancèrent à l'attaque armés de couteaux courbes entre les dents et de fusils à baïonnette. Beaucoup tombèrent sous les balles ennemies ou volèrent en éclats en marchant sur les mines, mais rien ne put arrêter les autres, qui excités par le sang arrivèrent jusqu'aux fortifications et les escaladèrent. Ils étripèrent les Péruviens à coups de couteau et de baïonnette et prirent le promontoire au cours d'un incroyable exploit qui ne dura que cinquante-cinq minutes ; puis ils assassinèrent les vaincus, achevèrent les blessés et pillèrent la ville d'Arica. L'un des commandants péruviens se jeta à la mer pour ne pas tomber entre les mains des Chiliens. La figure du vaillant officier s'élançant du haut de la falaise monté sur son cheval noir aux fers d'or appartient à la légende de ce féroce épisode. Plus tard, la guerre prit fin avec la victoire chilienne à la bataille de Lima, dont les Péruviens se souviennent comme d'un massacre, bien que les livres d'histoire du Chili assurent que nos troupes ont occupé la ville de façon ordonnée.

Les vainqueurs écrivent l'histoire à leur manière. Chaque pays présente ses soldats sous le jour le plus favorable, on occulte les erreurs, on nuance la cruauté, et une fois la bataille gagnée tous font figure de héros. Comme nous avons été élevés dans l'idée que les Forces armées chiliennes étaient composées de soldats obéissants sous le commandement d'officiers irréprochables, nous avons eu une terrible surprise le mardi 11 septembre 1973, lorsque nous les avons vus à l'œuvre. La sauvagerie fut telle qu'on a dit qu'ils étaient drogués, de même que l'on suppose que les hommes qui prirent le promontoire d'Arica étaient dopés avec l'« herbe du diable », un mélange explosif d'eau-de-vie et de poudre à canon. Ils encerclèrent le palais de la Moneda, siège du gouvernement et symbole de notre démocratie, puis ils le bombardèrent depuis les airs. Allende mourut dans le palais ; d'après la version officielle, il se serait suicidé. Il y eut des centaines de morts et tellement de milliers de prisonniers que les stades sportifs et même quelques écoles furent transformés en prisons, centres de torture et camps de concentration. Sous le prétexte de libérer le pays d'une hypothétique dictature communiste qui pourrait voir le jour dans l'avenir, la démocratie fut remplacée par un régime de terreur qui allait durer dix-sept ans et laisser des séquelles pour un quart de siècle.

Je me souviens de la peur comme d'un goût métallique permanent dans ma bouche.

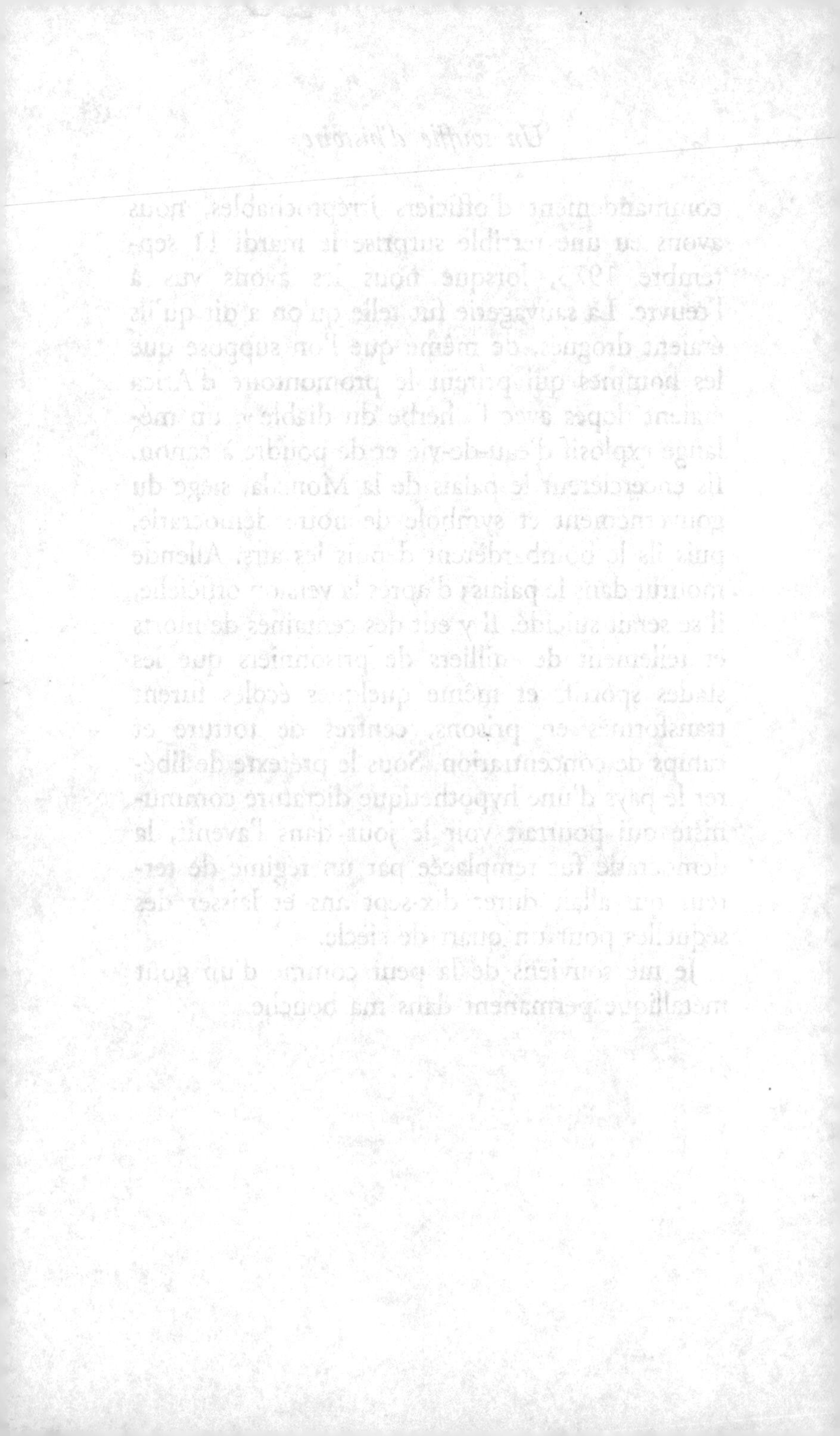

Poudre et sang

Pour donner une idée de ce que fut le coup d'Etat militaire, il faut imaginer ce qu'éprouverait un Américain ou un Anglais si ses soldats attaquaient la Maison-Blanche ou le palais de Buckingham avec un armement de guerre, provoquant la mort de milliers de citoyens et parmi eux le président des Etats-Unis ou la reine et le Premier ministre britanniques, s'ils déclaraient le Congrès ou le Parlement en vacances définitives, détruisaient la Cour suprême, suspendaient les libertés individuelles et les partis politiques, instauraient la censure absolue des médias et se mettaient à expurger toute voix dissidente. Imaginez maintenant que ces mêmes soldats, possédés par un fanatisme messianique, s'installent au pouvoir pour longtemps, disposés à éliminer leurs adversaires idéologiques. Voilà ce qui est arrivé au Chili.

L'aventure socialiste chilienne prit fin tragiquement. La junte militaire, présidée par le général Augusto Pinochet, appliqua la doctrine du capitalisme sauvage, comme on a appelé l'expérience néolibérale, mais en ignorant que pour son fonctionnement équilibré il faut une force de travail ayant le plein usage de ses droits. Pour détruire jusqu'à la dernière graine de pensée gauchiste et implanter un capitalisme impitoyable, ils ont exercé une répression brutale. Le Chili ne fut pas un cas isolé, la longue nuit des dictatures allait couvrir une bonne partie du continent pendant plus d'une décennie. En 1975, la moitié des Latino-Américains vivaient sous une forme ou une autre de gouvernement répressif, un grand nombre d'entre eux appuyés par les Etats-Unis, qui détiennent un triste record en matière de renversement de gouvernements élus par d'autres peuples et de soutien à des tyrans qui ne seraient jamais tolérés sur leur propre territoire, tels Papa Doc à Haïti, Trujillo en République dominicaine, Somoza au Nicaragua et tant d'autres.

J'ai parfaitement conscience de ma subjectivité lorsque je décris ces faits. Je devrais vous les raconter sans passion, mais ce serait trahir mes convictions et mes sentiments. Ce livre ne veut pas être une chronique politique ou historique, mais une série de souvenirs, lesquels sont toujours sélectifs et colorés par l'expérience et l'idéologie personnelles.

La première partie de ma vie s'acheva ce 11 septembre 1973. Je ne m'étendrai pas trop sur cela, car je l'ai déjà raconté dans les derniers chapitres de mon premier roman et dans mes Mémoires, *Paula.* La famille Allende, c'est-à-dire ceux qui ne sont pas morts, furent emprisonnés, passèrent dans la clandestinité ou partirent en exil. Mes frères, qui étaient à l'étranger, ne revinrent pas. Mes parents, qui étaient ambassadeurs en Argentine, restèrent quelque temps à Buenos Aires, mais furent ensuite menacés de mort et durent s'enfuir. La famille de ma mère, au contraire, était en majorité une ennemie acharnée de l'Unité populaire et beaucoup célébrèrent au champagne le coup d'Etat militaire. Mon grand-père détestait le socialisme et attendait avec impatience la fin du gouvernement Allende, mais jamais il n'a souhaité que ce fût au prix de la démocratie. Horrifié de voir les militaires, qu'il méprisait, au pouvoir, il m'ordonna de ne pas me mettre en difficulté ; mais il m'était impossible de me tenir à l'écart de ce qui se passait. Il y avait des mois que le vieux monsieur m'observait et me posait des questions insidieuses, je crois qu'il soupçonnait qu'à tout moment sa petite-fille se volatiserait. Que savait-il de ce qui se passait autour de lui ? Il vivait isolé, ne sortait presque jamais et son contact avec la réalité se faisait à travers la presse, qui dissimulait et mentait. J'étais sans doute la seule à lui raconter l'envers du décor. Au début, j'ai essayé de le tenir informé, car en ma qualité de journaliste j'avais accès au réseau clandestin de rumeurs qui avait alors remplacé les sources sérieuses d'information, mais par la suite j'ai cessé de lui donner les mauvaises nouvelles pour ne pas le déprimer et l'effrayer. Des amis et des connaissances commencèrent à disparaître, parfois certains revenaient après des semaines d'absence, les yeux hagards, portant des traces de torture. Un grand nombre cherchèrent refuge ailleurs. Le Mexique, l'Allemagne, la France, le Canada, l'Espagne et plusieurs autres pays les reçurent au début, mais au bout d'un certain temps ils cessèrent de le faire, car à la vague de Chiliens s'ajoutaient des milliers d'autres exilés latino-américains.

Au Chili, où l'amitié et la famille ont une grande importance, survint un phénomène qui ne peut s'expliquer que par l'effet qu'a la peur dans l'âme d'une société. La trahison et la délation mirent fin à un grand nombre de vies ; il suffisait d'une voix anonyme au téléphone pour que les mal nommés services de renseignements mettent la main sur l'accusé et, dans bien des cas, on ne savait plus rien de lui. Le peuple se divisa entre les partisans du gouvernement militaire et ceux qui s'y opposaient ; la haine, la méfiance et la peur détruisirent la cohabitation. Il y a plus d'une décennie que la démocratie s'est instaurée, mais cette division est encore palpable, y compris au sein de nombreuses familles. Les Chiliens apprirent à se taire, à ne pas entendre et ne pas voir, car tant qu'ils pouvaient ignorer les faits ils ne se sentaient pas complices. Je connais des personnes pour qui le gouvernement d'Allende représentait ce qui pouvait arriver de plus détestable et dangereux. Pour ces gens-là, qui se flattent de mener leur vie en accord avec les stricts préceptes chrétiens, le besoin de l'abattre fut si impérieux qu'ils n'ont jamais remis les méthodes en cause, même lorsqu'un père désespéré, Sebastián Acevedo, s'arrosa d'essence et s'enflamma, s'immolant comme un bonze sur la place de la Concepción pour protester parce qu'on torturait ses fils. Ils se sont arrangés pour ignorer les violations des droits de l'homme – ou faire semblant de les ignorer – pendant de nombreuses années et, à ma grande surprise, j'en rencontre encore qui, en dépit des évidences, nient ce qui s'est passé. Je peux les comprendre, car ils sont accrochés à leurs croyances comme je le suis aux miennes. L'opinion qu'ils ont du gouvernement d'Allende est à peu près identique à celle que j'ai de la dictature de Pinochet, à la différence que dans mon cas la fin ne justifie pas les moyens. Inévitablement, les crimes perpétrés dans l'ombre pendant ces années sont remontés à la surface. L'élucidation de la vérité est le début de la réconciliation, même si les blessures mettent du temps à cicatriser, car les responsables de la répression n'ont pas reconnu leurs fautes et ne sont pas disposés à demander pardon. Les actions du régime militaire resteront impunies, mais on ne peut plus les dissimuler ou les ignorer. Nombreux sont ceux qui pensent, surtout les jeunes, qui furent élevés sans esprit critique ni dialogue politique, qu'on a assez fouillé le passé et qu'il faut regarder vers l'avenir, mais les victimes et leurs familles ne peuvent oublier. Sans doute devrons-nous attendre que meure le dernier témoin de cette époque pour fermer ce chapitre de notre histoire.

*

Les militaires qui ont pris le pouvoir n'étaient pas des puits de culture. Vues avec le recul que donnent les nombreuses années écoulées depuis, les choses qu'ils disaient prêtent à rire ; à l'époque, elles étaient plutôt terrifiantes. L'exaltation de la patrie, des « valeurs chrétiennes occidentales » et du militarisme atteignit des sommets de ridicule. Le pays était dirigé comme une caserne. Pendant des années j'avais écrit un article humoristique dans une revue et présenté une émission légère à la télévision, mais il m'était impossible de le faire dans cette atmosphère, car il n'y avait vraiment pas de quoi rire, sauf des dirigeants, ce qui pouvait coûter la vie. Les seules trouées d'humour étaient « les mardis avec

Merino ». L'un des généraux de la junte, l'amiral José Toribio Merino, retrouvait la presse chaque semaine pour donner son opinion sur différents sujets. Les journalistes attendaient avec anxiété ces perles de clarté mentale et de sagesse. Par exemple, à propos du changement de Constitution par lequel on prétendait légaliser la montée des militaires au pouvoir en 1980, il disait avec le plus grand sérieux que « la première transcendance que je lui vois, c'est qu'elle est transcendantale ». Et aussitôt l'amiral expliquait, afin que tout le monde comprenne : « Il y a eu deux critères dans l'élaboration de cette Constitution ; d'une part le critère politique, disons platonico-aristotélicien dans le contexte du classicisme grec, et d'autre part le critère absolument militaire, qui vient de Descartes, et que nous pourrions appeler cartésien. Dans le cartésianisme, la Constitution se trouve tout entière, ce type de définitions qui sont extraordinairement positives, qui cherchent la vérité sans alternatives, où un plus deux ne peut faire plus de trois, et où il n'y a pas d'autre alternative que le trois... » Au cas où, à ce point du raisonnement, la presse aurait perdu le fil de son discours, Merino précisait : « ... et la vérité tombe de cette façon face à la vérité aristotélicienne, ou la vérité classique, disons, qui donnait certaines nuances pour sa recherche ; elle a une énorme importance dans un pays comme le nôtre, qui cherche de nouveaux chemins, qui cherche de nouvelles façons de vivre... »

Ce même amiral justifia la décision du gouvernement de lui donner la responsabilité de l'économie, en précisant qu'il avait étudié l'économie comme hobby dans des cours de l'*Encyclopaedia Britannica*. Et avec la même candeur il ajoutait que « la guerre est la plus belle profession qui existe. Qu'est-ce que la guerre ? La continuation de la paix, où se réalise tout ce que la paix ne permet pas, afin de conduire l'homme à la dialectique parfaite, qui est l'extinction de l'ennemi ».

En 1980, lorsque ces perles paraissaient dans la presse, je n'étais plus au Chili. J'y suis restée quelque temps, mais quand j'ai senti la répression tel un nœud coulant autour de mon cou, je suis partie. J'ai vu changer le pays et les gens. J'ai essayé de m'adapter et de ne pas attirer l'attention, comme me le demandait mon grand-père, mais c'était impossible, car en ma qualité de journaliste j'en savais beaucoup trop. Au début, la peur était un peu vague et difficile à définir, comme une mauvaise odeur. Je discréditais les terribles rumeurs qui circulaient, alléguant qu'il n'y avait pas de preuves, et, confrontée aux preuves, je disais que c'étaient des exceptions. Je me croyais à l'abri parce que « je ne faisais pas de politique », mais je cachais chez moi des fugitifs désespérés ou les aidais à sauter le mur d'une ambassade en quête d'asile. J'imaginais que si j'étais arrêtée je pourrais expliquer que je le faisais pour des raisons humanitaires ; à l'évidence, j'étais dans la lune. J'étais couverte d'éruptions cutanées des pieds à la tête, je ne pouvais dormir, il suffisait du bruit d'une voiture dans la rue après l'extinction des feux pour que je tremble pendant des heures. Il me fallut un an et demi pour me rendre compte du risque que je courais et enfin, en 1975, après une semaine particulièrement agitée et pleine de dangers, je partis pour le Venezuela, emportant avec moi une poignée de terre chilienne de mon jardin. Un mois plus tard, mon mari et mes enfants me rejoignirent à Caracas. Je suppose que je souffre du mal de nombreux Chiliens qui partirent à cette époque : je me sens coupable d'avoir abandonné mon pays. Je me suis mille fois demandé ce qui serait arrivé si j'étais restée, comme tant de ceux qui ont lutté contre la dictature de l'intérieur, jusqu'à ce qu'ils réussissent à la vaincre en 1989. Personne ne peut répondre à cette question, mais je suis sûre d'une chose : je ne serais pas écrivain si je n'avais vécu l'expérience de l'exil.

Dès l'instant où j'eus franchi la cordillère des Andes, par un matin d'hiver pluvieux, je me suis mise inconsciemment à inventer un pays. J'ai souvent depuis volé au-dessus de la cordillère et je ressens toujours la même émotion, car le souvenir de ce matin-là m'assaille, intact, lorsque je vois d'en haut le magnifique spectacle des montagnes. L'infinie solitude de ces cimes blanches, de ces abîmes vertigineux, de ce ciel d'un bleu profond symbolise mon adieu au Chili. Je n'ai jamais imaginé que je serais absente aussi longtemps. Comme tous les Chiliens – sauf les militaires –, j'étais convaincue qu'étant donné notre tradition, les soldats retourneraient bientôt dans leurs baraquements, qu'il y aurait d'autres élections et que nous aurions un gouvernement démocratique, comme nous en avions toujours eu. Pourtant, j'ai dû avoir l'intuition de l'avenir, car j'ai passé ma première nuit à Caracas à pleurer, inconsolable, dans un lit qu'on m'avait prêté. Dans le fond, je pressentais que quelque chose avait pris fin pour toujours et que ma vie changeait violemment de direction. La nostalgie s'est emparée de moi dès cette première nuit et elle ne m'a pas lâchée pendant de nombreuses années, jusqu'à ce que tombe la dictature et que je pose à nouveau le pied sur le sol de mon pays. Entre-temps, je vivais le regard tourné vers le sud, guettant les nouvelles, attendant l'instant du retour tandis que je faisais une sélection de mes souvenirs, changeais quelques faits, en exagérais ou ignorais d'autres, affinais mes émotions et construisais ainsi peu à peu ce pays imaginaire où j'ai planté mes racines.

Il y a des exils qui mordent, d'autres
sont comme le feu qui consume.
Il y a des douleurs de patrie morte
qui peu à peu remontent d'en bas,
depuis les pieds et les racines
et soudain l'homme se noie,
il ne connaît plus les épis,
déjà la guitare s'est tue,
il n'y a plus d'air pour cette bouche,
il ne peut plus vivre sans terre
alors il s'étale de tout son long,
non sur la terre, mais dans la mort.

Pablo Neruda, « Exils »,
Chants cérémoniels

*

Parmi les changements notables produits par le système économique et les valeurs implantées par la dictature, l'ostentation est devenue à la mode : si vous n'êtes pas riche, vous devez vous endetter pour le paraître, même si vous portez des chaussettes trouées. Le consumérisme est l'idéologie d'aujourd'hui au Chili, comme dans la plus grande partie du monde. La politique économique, les commerces illicites et la corruption, qui a atteint des niveaux jamais vus auparavant dans le pays, ont engendré une nouvelle caste de millionnaires. L'une des choses positives, c'est que la muraille qui séparait les classes sociales a été réduite en poussière; les vieux noms de famille ont cessé d'être le seul passeport permettant d'être accepté en société. Ceux qui se considéraient comme des aristocrates ont été balayés de la carte par de jeunes chefs d'entreprise et des technocrates qui roulent en Mercedes et sur des motos chromées, et par quelques militaires qui se sont enrichis à des postes clés du gouvernement, de l'industrie et de la banque. Pour la première fois on voyait des hommes en uniforme partout : dans les ministères, les universités, les entreprises, les salons, les clubs, etc.

La question qui se pose forcément est de savoir pourquoi un tiers au moins de la population a soutenu la dictature, alors que pour la majorité la vie n'a pas été facile et que les partisans du gouvernement militaire eux-mêmes vivaient dans la crainte. La répression a été générale, mais ceux qui ont probablement le plus souffert ont été les partisans de la gauche et les pauvres. Tous se sentaient surveillés, personne ne pouvait se considérer totalement à l'abri des griffes de l'Etat. Il est certain que l'information était censurée et qu'une machine de propagande avait été mise en place pour laver les cerveaux; il est également certain qu'il a fallu de nombreuses années à l'opposition pour s'organiser, au prix du sang; mais cela n'explique pas la popularité du dictateur. La proportion de la population qui l'applaudissait ne l'a pas fait uniquement par peur; les Chiliens aiment l'autoritarisme. Ils ont cru que les militaires allaient « nettoyer » le pays. « Il n'y a plus de délinquance, il n'y a plus de murs barbouillés de graffitis, tout est propre, et grâce au couvre-feu les maris rentrent tôt à la maison », m'a dit une amie. Pour elle, cela compensait la perte des droits citoyens, parce que cette perte ne la touchait pas directement ; elle avait la chance qu'aucun de ses enfants n'eût été arrêté ou renvoyé de son travail sans indemnisation. Je comprends que la droite, qui historiquement ne s'est pas caractérisée par la défense de la démocratie et qui au cours de ces années s'est enrichie comme jamais auparavant, ait soutenu la dictature ; mais les autres ? Je n'ai pas trouvé de réponse satisfaisante à cette question, et ne peux émettre que des conjectures.

Pinochet a représenté la figure du père intransigeant, capable d'imposer la discipline. Les trois années de l'Unité populaire avaient été des années d'expérimentation, de changement et de désordre ; le pays était las. La répression mit fin à la politicaillerie et le néolibéralisme obligea les Chiliens à travailler sans mot dire et à être productifs, afin que les entreprises puissent favorablement entrer en compétition sur les marchés internationaux. Presque tout fut privatisé, y compris la santé, l'éducation et la sécurité sociale. La nécessité de survivre stimula l'initiative privée.

Aujourd'hui, le Chili exporte non seulement plus de saumons que l'Alaska, mais aussi des cuisses de grenouille, des plumes d'oie et de l'ail fumé, parmi des centaines d'autres produits non traditionnels. La presse des Etats-Unis célébrait le triomphe du système économique et attribuait à Pinochet le mérite d'avoir fait de ce pauvre pays l'étoile de l'Amérique latine; mais les indices ne donnaient pas la répartition de la richesse; on ne savait rien de la pauvreté et de l'insécurité dans lesquelles vivaient plusieurs millions de personnes. On ne mentionnait pas les soupes populaires qui dans les villes nourrissaient des milliers de familles – il y en eut jusqu'à plus de cinq cents seulement à Santiago – ni le fait que la charité privée et celle des Eglises s'efforçaient de remplacer le travail social qui incombe à l'Etat. Il n'existait aucun forum ouvert pour discuter des actions du gouvernement ou des chefs d'entreprise; ainsi les services publics ont-ils été impunément bradés à des entreprises privées, et les ressources naturelles telles que les forêts et les mers à des entreprises étrangères qui les ont exploitées sans aucune conscience écologique. On a créé une société implacable dans laquelle le gain est sacré; si vous êtes pauvre, c'est de votre faute, et si vous vous plaignez, vous êtes forcément communiste. La liberté consiste en ce qu'il existe de nombreuses marques entre lesquelles choisir ce qu'on peut acheter à crédit.

Les chiffres de la croissance économique, applaudis par le *Wall Street Journal*, ne signifiaient pas le développement, vu que dix pour cent de la population possédaient la moitié des richesses et que cent personnes gagnaient plus que ce que l'Etat dépensait pour tous ses services sociaux. D'après la Banque mondiale, le Chili est l'un des pays ayant la plus mauvaise répartition des revenus, à égalité avec le Kenya et le Zimbabwe. Le gérant d'une corporation chilienne gagne autant ou plus que son équivalent aux Etats-Unis, alors qu'un ouvrier chilien gagne approximativement quinze fois moins qu'un ouvrier américain. Aujourd'hui encore, après plus d'une décennie de démocratie, l'inégalité économique est effrayante, car le modèle économique n'a pas changé. Les trois présidents qui ont succédé à Pinochet ont eu les mains liées, parce que la droite contrôle l'économie, le Congrès et la presse. Mais le Chili s'est proposé de devenir un pays développé d'ici dix ans, ce qui est très possible, si la richesse est redistribuée de manière plus équitable.

Qui était vraiment Pinochet, ce soldat qui a tant marqué le Chili avec sa révolution capitaliste et vingt années de répression ? (Je conjugue les verbes au passé bien qu'il soit toujours vivant, parce qu'il est reclus et que le pays s'efforce d'oublier son existence. Il appartient au passé, bien que son ombre continue à errer.) Pourquoi avait-on tellement peur de lui ? Pourquoi l'admirait-on ? Je ne l'ai pas connu personnellement et je n'ai pas vécu au Chili pendant la plus grande partie de son gouvernement, aussi ne puis-je le juger que sur ses actes et d'après ce que les autres ont écrit sur lui. Je suppose que pour le comprendre il faut lire des romans comme *La Fête du bouc*, de Mario Vargas Llosa ou *L'Automne du patriarche*, de Gabriel García Márquez, car il avait beaucoup en commun avec la figure typique du caudillo latino-américain, si bien décrite par ces auteurs. C'était un homme rude, froid, fuyant et autoritaire, sans scrupules ni sens de la loyauté, sauf envers l'Armée en tant qu'institution, mais pas à l'égard de ses compagnons d'armes, qu'il fit assassiner à sa convenance, comme le général Carlos Prats et d'autres. Il se croyait choisi par Dieu et l'histoire pour sauver la patrie. Il aimait les décorations et la quincaillerie militaire ; c'était un égomaniaque, qui a même créé une fondation portant son nom, destinée à promouvoir et préserver son image. Il était rusé et méfiant, avait des manières bon enfant et pouvait être sympathique. Admiré par les uns, haï par les autres, craint par tous, il fut sans doute le personnage de notre histoire qui a eu le plus de pouvoir entre ses mains, et le plus longtemps.

Le Chili au cœur

Au Chili, on évite de parler du passé. Les générations les plus jeunes croient que le monde a commencé avec elles ; ce qui est arrivé avant ne les intéresse pas. Chez les autres, il me semble qu'il y a une sorte de honte collective pour ce qui s'est passé pendant la dictature, sentiment qu'a dû éprouver l'Allemagne après Hitler. Les jeunes comme les vieux essaient d'éviter tout conflit. Personne ne veut s'embarquer dans des discussions qui ne servent qu'à désunir davantage. D'autre part, la majorité est trop affairée à essayer de joindre les deux bouts avec un salaire insuffisant, et à exécuter son travail sans mot dire de peur d'être renvoyée, pour s'occuper de politique. On pense que trop fouiller dans le passé peut « déstabiliser » la démocratie et provoquer les militaires, crainte non fondée, car la démocratie s'est fortifiée au cours des dernières années – depuis 1989 – et que les militaires ont perdu leur prestige. De plus, nous ne sommes plus au temps des coups d'Etat militaires. Malgré ses nombreux problèmes – pauvreté, inégalité, crime, drogue, guérilla –, L'Amérique latine a opté pour la démocratie ; de leur côté, les Etats-Unis commencent à se rendre compte que leur politique consistant à soutenir des tyrannies ne résout aucun problème et ne sert qu'à en faire naître d'autres.

Le coup d'Etat militaire n'a pas surgi du néant ; les forces qui ont soutenu la dictature étaient là, mais nous ne les avions pas perçues. Certains défauts des Chiliens, qui auparavant étaient cachés sous la surface, sont apparus dans toute leur gloire et majesté pendant cette période. Il est impossible que la répression s'organise du jour au lendemain à une si vaste échelle sans qu'existe la tendance totalitaire dans un secteur de la société ; nous n'étions apparemment pas aussi démocratiques que nous le pensions. Pour sa part, le gouvernement de Salvador Allende n'était pas aussi innocent qu'il me plaît de l'imaginer : il y eut de l'inaptitude, de la corruption, de l'orgueil. Dans la vie réelle, héros et pendards se confondent souvent ; mais je peux affirmer que dans les gouvernements démocratiques, y compris celui de l'Unité populaire, il n'y eut jamais la cruauté dont la nation a souffert chaque fois que sont intervenus les militaires.

*

Comme des milliers d'autres familles chiliennes, Miguel et moi sommes partis avec nos deux enfants, parce que nous ne voulions plus vivre sous une dictature. C'était en 1975. Le pays que nous avons choisi pour émigrer fut le Venezuela, parce que c'était l'une des dernières démocraties restant dans l'Amérique latine secouée par les coups d'Etat militaires, et l'un des rares pays où nous pouvions obtenir des visas et du travail. Écoutons Neruda :

> *Comment puis-je vivre si loin*
> *de ce que j'ai aimé, de ce que j'aime ?*
> *Des saisons enveloppées*
> *de vapeur et de froide fumée ?*

(Curieusement, ce qui m'a le plus manqué au cours de ces années d'exil volontaire, ce furent les saisons de mon pays. Dans le vert éternel des tropiques, je me suis sentie profondément étrangère.)

Dans les années soixante-dix, le Venezuela vivait l'apogée de la richesse du pétrole : l'or noir jaillissait de son sol tel un fleuve intarissable. Tout semblait facile ; avec un minimum de travail et les relations adéquates, les gens vivaient mieux que partout ailleurs ; l'argent coulait à flots et se dépensait sans pudeur dans une fête sans fin ;

c'était le peuple qui consommait le plus de champagne au monde. Pour nous qui étions passés par la crise économique du gouvernement de l'Unité populaire, pendant laquelle le papier toilette était un luxe, et qui débarquions pour échapper à une terrible répression, le Venezuela fut un choc qui nous paralysa. Nous ne pouvions assimiler l'oisiveté, le gaspillage et la liberté de ce pays. Nous les Chiliens, tellement sérieux, sobres, prudents, attachés aux règlements et à l'égalité, ne comprenions pas cette joie effrénée et cette indiscipline. Habitués aux euphémismes, nous nous sentions offensés par la franchise. Nous étions plusieurs milliers, et bientôt s'ajoutèrent ceux qui fuyaient la « guerre sale » en Argentine et en Uruguay. Quelques-uns arrivaient portant sur eux les traces récentes de leur captivité, tous avaient un air de vaincus.

Miguel trouva du travail dans une région de l'intérieur du pays et je restai à Caracas avec les deux enfants, qui me suppliaient chaque jour de rentrer au Chili, où ils avaient laissé leurs grands-parents, leurs amis, l'école, enfin tout ce qu'ils connaissaient. Cette séparation d'avec mon mari fut fatale, je crois qu'elle marqua le début de la fin de notre couple. Nous n'avons pas été une exception, car la plupart des couples qui ont quitté le Chili ont fini par se séparer. Loin de sa terre et de sa famille, le couple se retrouve face à face, nu et vulnérable, sans la pression familiale, les béquilles sociales et les routines qui le soutiennent dans son milieu. Les circonstances n'aident pas : fatigue, crainte, insécurité, pauvreté, confusion ; si à cela vient s'ajouter la séparation géographique, comme ce fut notre cas, le pronostic est des plus pessimistes. A moins de beaucoup de chance et d'une très forte relation, l'amour meurt.

Je ne pus trouver de travail comme journaliste. Ce que j'avais fait auparavant au Chili ne servait pas à grand-chose, en partie parce que les exilés gonflaient souvent leur curriculum vitæ et que personne, finalement, ne les croyait vraiment ; de faux docteurs avaient à peine leur bac, tandis que de vrais docteurs se retrouvaient chauffeurs de taxi. Je ne connaissais personne et là, comme dans le reste de l'Amérique latine, on n'obtient rien sans relations. Je dus gagner ma vie en faisant des travaux insignifiants, dont aucun ne vaut la peine d'être évoqué. Je ne comprenais pas le tempérament des Vénézuéliens, je confondais leur sens profond de l'égalité avec de mauvaises manières, leur générosité avec de la pédanterie, leur émotivité avec de l'immaturité. Je venais d'un pays où la violence était devenue institutionnelle, et pourtant j'étais choquée par la rapidité avec laquelle les Vénézuéliens perdaient leur sang-froid et en venaient aux mains. (Une fois, dans un cinéma, une dame sortit un revolver de son sac à main parce que, par inadvertance, je m'étais assise à la place qu'elle avait réservée.) Je ne connaissais pas les habitudes ; j'ignorais, par exemple, qu'on dit rarement « non », car on considère cela grossier, lui préférant « revenez demain ». Je partais chercher du travail, on me posait des questions avec une grande amabilité, m'offrait un café, me saluait par une ferme poignée de main et un « revenez demain ». Je revenais le lendemain, et la même scène se répétait, jusqu'à ce que je finisse par m'avouer vaincue. J'avais le sentiment que ma vie était un échec ; à trente-cinq ans, je pensais ne plus avoir d'avenir devant moi, hormis vieillir et mourir d'ennui. Aujourd'hui, me remémorant cette époque, je comprends qu'il y avait bien des possibilités, mais je ne les vis pas ; contrariée et craintive, je fus incapable de danser au même rythme que les autres. Au lieu de faire un effort pour connaître et apprendre à aimer la terre qui m'avait généreusement accueillie, je n'avais qu'une obsession : le retour au Chili. En comparant cette expérience de l'exil à mon actuelle condition d'immigrante, je vois combien mon état d'âme est différent. Dans le premier cas on s'en va de force, que ce soit en fuyant ou expulsé, et on a le sentiment d'être une victime à qui on a volé la moitié de sa vie ; dans le second cas on part à l'aventure, de son propre chef, se sentant maître de son destin. L'exilé regarde vers le passé en léchant ses blessures ; l'émigrant regarde vers l'avenir, prêt à mettre à profit les occasions qui se présentent.

*

A Caracas, les Chiliens se réunissaient pour écouter des disques de Violeta Parra et de Víctor Jara, échanger des affiches d'Allende et du Che Guevara, et répéter mille fois les mêmes rumeurs sur la lointaine patrie. A chaque réunion nous mangions des *empanadas* ; j'en ai été dégoûtée et suis toujours incapable d'en manger. Chaque jour arrivaient de nouveaux compatriotes qui racontaient des histoires terribles et affirmaient que la dictature était sur le point de tomber, mais les mois passaient et, loin de tomber, elle paraissait de plus en plus forte, malgré les protestations internes et l'immense mouvement international de solidarité. Plus personne ne confondait le Chili avec la Chine ni ne demandait pourquoi nous ne portions pas de chapeaux décorés d'ananas ; la figure de Salvador Allende et les événements politiques avaient situé le pays sur la carte. Une photographie circulait, qui devint célèbre, de la junte militaire avec Pinochet au centre, les bras croisés, les lunettes noires et la mâchoire protubérante d'un bouledogue, véritable cliché du tyran latino-américain. La sévère censure de la presse empêcha la grande majorité des Chiliens restés au pays de se rendre compte de l'existence de ce mouvement de solidarité. J'avais passé un an et demi sous cette censure et ne savais pas qu'à l'extérieur le nom d'Allende était devenu un symbole, aussi en sortant du Chili ai-je été surprise du respect révérencieux que provoquait mon nom. Par malheur, cette considération ne me fut d'aucune utilité pour trouver le travail dont j'avais si grand besoin.

De Caracas j'écrivais à mon grand-père, à qui je n'avais pas eu le courage de dire adieu, car je n'aurais pu lui expliquer les raisons de ma fuite sans reconnaître que j'avais désobéi à ses ordres de ne pas me mettre en difficulté. Dans mes lettres, je lui décrivais le cadre doré de notre existence, mais il ne fallait pas être très perspicace pour percevoir l'angoisse entre les lignes, et mon grand-père a certainement deviné quelle était ma véritable situation. Bientôt cette correspondance devint pure nostalgie, un patient exercice de remémoration du passé et de la terre que j'avais quittée. Je me remis à lire Neruda et je le citais dans mes lettres à mon grand-père, qui me répondait parfois par des vers d'autres poètes plus anciens.

A quoi bon donner des détails sur ces années, sur les bonnes choses qui arrivèrent et les mauvaises, comme les amours malheureuses, les efforts et les peines, car je les ai racontées ailleurs. Il me suffit de dire que le sentiment de solitude et celui d'être toujours étrangère, que je traînais depuis mon enfance, s'accentuèrent. J'étais déconnectée de la réalité, plongée dans un monde imaginaire, alors qu'à côté de moi mes enfants grandissaient et que mon couple s'effritait. J'essayais d'écrire, mais tout ce que j'arrivais à faire, c'était de tourner et retourner les mêmes idées. Le soir, lorsque la famille s'était retirée pour la nuit, je m'enfermais dans la cuisine où je passais des heures à taper sur le clavier de mon Underwood, remplissant des pages et des pages des mêmes phrases, qu'ensuite je déchirais en mille morceaux, comme Jack Nicholson dans ce film à faire se dresser les cheveux sur la tête, *Shining*, qui a donné des cauchemars à la moitié du monde pendant des mois. Il n'est rien resté de ces efforts, seulement du papier froissé. Et c'est ainsi que passèrent sept années.

Le 8 janvier 1981, je commençai une autre lettre à mon grand-père, qui avait alors près de cent ans et était à l'agonie. Dès la première ligne je sus que ce n'était pas une lettre comme les autres et qu'elle n'arriverait peut-être jamais dans les mains du destinataire. J'écrivis pour me libérer de mon angoisse, parce que ce vieux monsieur, dépositaire de mes plus anciens souvenirs, était prêt à quitter ce monde. Sans lui, qui était mon ancre dans le territoire de l'enfance, l'exil paraissait définitif. Naturellement, j'écrivis sur le Chili et ma famille éloignée. Avec les centaines d'anecdotes que j'avais entendues de sa bouche pendant des années, j'avais plus de matière qu'il n'en fallait : les proto-machos fondateurs de notre lignée ; ma grand-mère qui déplaçait le sucrier par sa seule énergie spirituelle ; la tante Rosa, morte à la fin du XIXe siècle, dont le fantôme apparaissait la nuit pour jouer du piano ; l'oncle qui avait essayé de traverser la cordillère dans un ballon dirigeable, et bien d'autres personnages qui ne devaient pas sombrer dans l'oubli. Quand je racontais ces histoires à mes enfants, ils me regardaient avec une expression de pitié et levaient les yeux au ciel. Après avoir tant pleuré pour rentrer, Paula et Nicolas avaient fini par s'acclimater au Venezuela et ne voulaient plus entendre parler du Chili, encore moins de leurs excentriques parents. Ils ne participaient pas non plus aux conversations nostalgiques des exilés, aux tentatives ratées de préparer des plats chiliens avec des ingrédients des Caraïbes, ni aux pathétiques célébrations de nos fêtes nationales improvisées au Venezuela. Mes enfants avaient honte de leur condition d'étrangers.

Je perdis bientôt le fil de cette étrange lettre, mais continuai sans répit pendant un an ; au bout de cette année, mon grand-père était mort et j'avais sur la table de la cuisine mon premier roman, *La Maison aux esprits.* Si l'on m'avait alors demandé de le définir, j'aurais dit que c'était une tentative pour retrouver mon pays perdu, pour rassembler ceux qui étaient dispersés, pour ressusciter les morts et préserver mes souvenirs, qui dans le tourbillon de l'exil commençaient à s'estomper. Ce que j'essayais de faire n'était pas rien... Je donne maintenant une explication plus simple : je mourais d'envie de raconter cette histoire.

*

J'ai une image romantique d'un Chili arrêté au début des années soixante-dix. Pendant des années j'ai pensé que lorsque la démocratie reviendrait tout redeviendrait comme avant, mais même cette image figée était illusoire. Peut-être le lieu dont j'ai la nostalgie n'a-t-il jamais existé. Lorsque je m'y rends en visite, je dois confronter le Chili réel à l'image sentimentale que j'ai portée en moi pendant vingt-cinq ans. Ayant vécu si longtemps à l'extérieur, j'ai tendance à exagérer les vertus et à oublier les traits désagréables du caractère national. J'oublie l'élitisme et l'hypocrisie de la haute bourgeoisie ; j'oublie combien est conservatrice et machiste la plus grande partie de la société ; j'oublie l'écrasante autorité de l'Eglise catholique. Je suis effrayée par la rancune et la violence qu'alimente l'inégalité ; mais je suis également émue par les choses agréables, qui malgré tout n'ont pas disparu, comme cette familiarité immédiate avec laquelle nous nous lions, notre façon affectueuse de nous saluer en nous embrassant, cet humour tordu qui me fait toujours autant rire, l'amitié, l'espoir, la simplicité, la solidarité dans le malheur, la sympathie, le courage indomptable des mères, la patience des pauvres. J'ai forgé l'image de mon pays à la manière d'un puzzle, en sélectionnant les pièces qui s'ajustent à mon dessin et en ignorant les autres. Mon Chili est poétique et miséreux, voilà pourquoi j'écarte les réalités de cette société moderne et matérialiste, où la valeur des personnes se mesure à leur richesse bien ou mal acquise, et pourquoi je persiste à voir de tous côtés des signes de mon pays d'antan. J'ai également créé une version de moi-même sans nationalité ou, plus exactement, avec de multiples nationalités. Je n'appartiens pas à un territoire, mais à plusieurs, ou peut-être au seul espace de la fiction que j'écris. Parmi tout ce que je garde en mémoire, je n'essaie pas de savoir combien de faits sont réels et combien ont été inventés, car la tâche consistant à tracer la ligne qui les sépare me dépasse. Ma petit-fille Andrea a écrit pour l'école une rédaction dans laquelle elle a dit : « J'aimais l'imagination de ma grand-mère. » Je lui ai demandé à quoi elle faisait référence et elle a répliqué sans hésiter : « Tu te souviens de choses qui ne sont jamais arrivées. » Ne fait-on pas tous la même chose ? On dit que le processus cérébral de l'imagination et celui de la mémoire se ressemblent tellement qu'il est quasiment impossible de les séparer. Qui peut définir la réalité ? Tout n'est-il pas subjectif ? Si vous et moi assistions au même événement, nous nous en souviendrions et le raconterions de manière différente. La version de notre enfance que racontent mes frères pourrait laisser penser que chacun a vécu sur des planètes différentes. La mémoire est conditionnée par l'émotion ; nous nous souvenons davantage et mieux des événements qui nous émeuvent : la joie d'une naissance, le plaisir d'une nuit d'amour, la douleur de la mort d'un proche, le traumatisme d'une blessure. Lorsque nous racontons le passé, nous parlons des moments intenses – bons ou mauvais – et omettons l'immense zone grise du quotidien.

Si je n'avais jamais voyagé, si j'étais restée ancrée dans ma famille, en sécurité, si j'avais accepté la vision de mon grand-père et ses règles, il m'aurait été impossible de recréer ou d'embellir ma propre existence, parce que celle-ci aurait été définie par d'autres et que je ne serais qu'un maillon de plus dans une longue chaîne familiale. Changer de lieu m'a obligée à réajuster plusieurs fois mon histoire et je l'ai fait avec étourderie, sans presque jamais m'en rendre compte, trop occupée que j'étais par la tâche de survivre. Presque toutes les vies se ressemblent et peuvent se raconter sur le ton dont on lit un annuaire téléphonique, à moins que l'on ne décide d'y mettre de la véhémence et de la couleur. Dans mon cas, j'ai tenté de gommer les détails pour créer peu à peu ma propre légende, si bien que lorsque je serai dans une résidence gériatrique, attendant la mort, j'aurai largement de quoi divertir d'autres petits vieux séniles.

J'ai écrit mon premier livre en laissant courir mes doigts sur les touches, comme j'écris celui-ci, sans plan préalable. Je n'ai pas eu besoin de beaucoup de recherches, parce que je le portais tout entier en moi, non dans ma tête, mais niché quelque part dans ma poitrine, où il m'oppressait tel un étouffement continuel. J'ai raconté le Santiago au temps de la jeunesse de mon grand-père comme si j'étais née alors ; je savais exactement comment on allumait une lampe à gaz avant que l'électricité ne fût installée dans la ville, de même que je connaissais le sort de centaines de prisonniers au Chili à la même époque. Je l'ai écrit en état de transe, comme si quelqu'un me le dictait, et j'ai toujours attribué ce privilège au fantôme de ma grand-mère, qui me le soufflait à l'oreille ; une seule fois s'est répété pour moi le cadeau d'un livre dicté depuis une autre dimension, en 1993, lorsque j'ai écrit *Paula.* Cette fois-là, sans doute ai-je reçu l'aide de l'esprit bienveillant de ma fille. Qui sont réellement ces esprits et d'autres qui vivent en moi ? Je ne les ai pas vus flottant enveloppés d'un drap dans les couloirs de ma maison : rien d'aussi intéressant que cela. Ce ne sont que des souvenirs qui m'assaillent et qui, à force de les caresser, prennent peu à peu une consistance matérielle. Cela m'arrive avec les gens, mais aussi avec le Chili, ce pays mythique que je regrette tant et qui, à force, a remplacé le pays réel. Ce village dans ma tête, comme le décrivent mes petits-enfants, est une scène où je pose et enlève à ma guise des objets, des personnages, des situations. Seul le paysage reste vrai et immuable ; dans ce grandiose paysage chilien, je ne suis pas une étrangère. Cette tendance à transformer la réalité, à inventer la mémoire, m'inquiète, parce que je ne sais jusqu'où elle peut m'entraîner. M'arrive-t-il la même chose avec les personnes ? Si, l'espace d'un instant, je revoyais mon grand-père ou ma fille, les reconnaîtrais-je ? Probablement pas, car j'ai tant cherché la manière de les garder en vie, me les rappelant jusque dans les moindres détails, que je les ai peu à peu changés et parés de vertus qu'ils n'ont peut-être pas eues ; je les ai dotés d'un destin bien plus complexe que celui qu'ils ont vécu. En tout cas, j'ai eu beaucoup de chance, car cette lettre à mon grand-père moribond m'a sauvée du désespoir. Grâce à elle, j'ai trouvé une voix et une façon de vaincre l'oubli, qui est la malédiction des vagabonds tels que moi. Devant moi s'est ouvert le chemin sans retour de la littérature, sur lequel j'ai avancé en titubant au cours de ces vingt dernières années, ce que je pense continuer à faire aussi longtemps que mes patients lecteurs ne se lasseront pas.

Bien que ce premier roman m'eût donné une patrie fictive, je regrettais toujours l'autre, celle que j'avais laissée derrière moi. Au Chili, le gouvernement militaire s'était affermi comme un roc et Pinochet régnait avec un pouvoir absolu. La politique économique des *Chicago boys,* comme on appelait les économistes disciples de Milton Freedman, avait été imposée par la force, car il eût été impossible de le faire autrement. Les chefs d'entreprise jouissaient d'énormes privilèges tandis que les travailleurs avaient perdu la plupart de leurs droits. A l'étranger, nous pensions que la dictature était inamovible, mais en réalité dans le pays grandissait une opposition courageuse, qui finirait par récupérer la démocratie perdue. Pour y parvenir, il fallut renoncer aux innombrables querelles partisanes et s'unir au sein de ce qu'on a appelé la « Concertation », mais cela eut lieu sept ans plus tard. En 1981, peu envisageaient cette possibilité.

*

Jusqu'alors ma vie à Caracas, où nous étions depuis dix ans, s'était déroulée dans un complet anonymat, mais mes livres attirèrent un peu l'attention. Finalement, je quittai l'école où je travaillais et me plongeai dans l'incertitude de la littérature. J'avais un autre roman à l'esprit, cette fois situé quelque part aux Caraïbes ; je pensais que j'en avais terminé avec le Chili et qu'il était temps de me poser sur la terre qui devenait peu à peu ma patrie d'adoption. Avant de commencer *Eva Luna*, je dus me plonger dans de minutieuses recherches. Pour décrire l'odeur de la mangue ou la forme d'un palmier, je devais aller sentir le fruit au marché et voir les arbres sur la place, ce qui n'était pas nécessaire dans le cas d'un abricot ou d'une sauce chilienne. Je porte le Chili si fort en moi que j'ai l'impression de le connaître à l'envers et à l'endroit, mais si j'écris sur n'importe quel autre endroit, je dois l'étudier.

Au Venezuela, terre splendide d'hommes impérieux et de femmes magnifiques, je me libérai enfin de la discipline des collèges anglais, de la rigueur de mon grand-père, de la modestie chilienne et des derniers vestiges de ce formalisme dans lequel, en bonne fille de diplomates, j'avais été élevée. Pour la première fois je me sentis bien dans mon corps et cessai de me préoccuper de l'opinion d'autrui. Entre-temps mon mariage s'était détérioré de façon irrémédiable, et une fois que les enfants se furent envolés du nid pour aller à l'université il n'y eut plus de raisons de rester ensemble. Miguel et moi divorçâmes à l'amiable. Nous étions si soulagés de cette décision qu'en nous quittant nous nous fîmes des salutations japonaises pendant plusieurs minutes. J'avais quarante-cinq ans, mais je n'étais pas si mal pour mon âge, c'est du moins ce que je pensais, jusqu'à ce que ma mère, toujours optimiste, m'avertît que j'allais passer seule le restant de mes jours. Cependant, trois mois plus tard, au cours d'une longue tournée de promotion aux Etats-Unis, je fis la connaissance de William Gordon, l'homme qui était écrit dans mon destin, comme aurait dit ma grand-mère voyante.

Ce village dans ma tête

Avant que vous me demandiez comment une gauchiste portant mon nom a pu choisir de vivre dans l'empire yankee, je vous dirai que ce ne fut en rien le résultat d'un plan, loin de là. Comme presque toutes les choses essentielles de mon existence, c'est arrivé par hasard. Si Willie avait été en Nouvelle-Guinée, je serais sûrement là-bas aujourd'hui, vêtue de plumes. Je suppose qu'il y a des gens qui planifient leur vie, mais dans mon cas il y a longtemps que j'ai cessé de le faire, car mes projets n'aboutissent jamais. Tous les dix ans environ, je jette un regard sur mon passé et vois la carte de mon voyage, si on peut appeler cela une carte : on dirait plutôt un plat de nouilles. Si l'on vit assez longtemps et qu'on regarde en arrière, il est évident qu'on ne fait que tourner en rond. L'idée de m'installer aux Etats-Unis ne m'était jamais venue à l'esprit, je pensais que la CIA avait provoqué le coup d'Etat militaire au Chili à seule fin de ruiner ma vie. Avec l'âge, je suis devenue plus modeste. La seule raison de devenir une immigrée de plus parmi les millions qui poursuivent l'*American dream* fut *a priori* la luxure.

Willie avait deux divorces sur les bras et un chapelet d'amourettes dont il se souvenait à peine ; il y avait huit ans qu'il vivait seul, sa vie était un désastre et, au moment où je fis mon apparition, il attendait toujours la grande blonde de ses rêves. Dès qu'il baissa les yeux et m'aperçut sur le dessin du tapis, je l'informai que j'avais été grande et blonde dans ma jeunesse, grâce à quoi je parvins à capter son attention. Qu'est-ce qui m'attira chez lui ? J'ai deviné que c'était une personne forte, de celles qui tombent à genoux, mais se relèvent. Il était différent du Chilien moyen : il ne se plaignait pas, il ne rejetait pas la faute de ses problèmes sur autrui, il assumait son karma et ne cherchait pas une maman ; manifestement, il n'avait pas besoin d'une geisha qui lui porterait son petit déjeuner au lit et, le soir, poserait sur une chaise ses vêtements pour le lendemain. Il n'appartenait pas à l'école des spartiates, comme mon grand-père, car il était évident qu'il jouissait de la vie, mais il avait la même solidité stoïcienne. En plus, il avait beaucoup voyagé, ce qui nous attire toujours nous autres Chiliens, peuple insulaire. A vingt ans il avait fait le tour du monde en autostop, en dormant dans les cimetières car, m'a-t-il expliqué, ils sont très sûrs : personne n'y entre la nuit. Il avait été exposé à différentes cultures, avait l'esprit ouvert, tolérant, curieux. De plus, il parlait l'espagnol avec un accent de bandit mexicain et portait des tatouages. Au Chili, seuls les délinquants se tatouent, aussi l'ai-je trouvé très sexy. Il pouvait commander un menu en français, en italien et en portugais, savait baragouiner quelques mots de russe, de tagal, de japonais et de mandarin. Des années plus tard, j'ai découvert qu'il les inventait, mais il était déjà trop tard. Il pouvait même parler l'anglais, dans la mesure où un Américain est capable de dominer la langue de Shakespeare.

Nous passâmes deux jours ensemble, puis je dus poursuivre ma tournée, mais au terme de celle-ci je décidai de retourner une semaine à San Francisco, pour voir si je me le sortais de la tête. C'est là une attitude très chilienne, n'importe laquelle de mes compatriotes aurait fait pareil. Dans deux domaines les Chiliennes sont férocement décidées : pour défendre leurs petits et lorsqu'il s'agit de mettre le grappin sur un homme. Nous avons l'instinct du nid très développé, une aventure amoureuse ne nous suffit pas, nous voulons fonder un foyer et, si possible, avoir des enfants – quelle horreur ! En me voyant arriver chez lui sans invitation, Willie, pris de panique, tenta de s'enfuir, mais ce n'est pas un concurrent sérieux pour moi. Je lui fis un croque-en-jambe et lui tombai dessus comme un pugiliste. Il finit par admettre en rechignant que j'étais ce qu'il pourrait trouver de plus approchant d'une grande blonde, et nous nous mariâmes. C'était en 1987.

Pour rester avec Willie j'étais prête à renoncer à bien des choses, sauf à mes enfants et à l'écriture, aussi dès que j'eus obtenu mes papiers de résidente j'entrepris les démarches pour faire venir Paula et Nicolas en Californie. Entre-temps j'étais tombée amoureuse de San Francisco, une ville joyeuse, tolérante, ouverte, cosmopolite, et si différente de Santiago! San Francisco fut fondée par des aventuriers, des prostituées, des commerçants et des prédicateurs qui arrivèrent en 1849, attirés par la fièvre de l'or. Je voulus écrire sur cette époque extraordinaire de convoitise, de violence, d'héroïsme et de conquête, parfaite pour un roman. Au milieu du XIXe siècle, le chemin le plus sûr pour aller en Californie, depuis la côte Est des Etats-Unis ou l'Europe, passait par le Chili. Les bateaux devaient passer le détroit de Magellan ou faire le tour par le cap Horn. C'étaient des odyssées dangereuses, mais il était bien plus périlleux de traverser le continent nord-américain en chariot ou les forêts infectées de malaria de l'isthme de Panama. Les Chiliens ont appris la découverte de l'or avant que la nouvelle ne se répandît aux États-Unis, et ils accoururent en masse, car ils ont une longue tradition de mineurs et aiment partir à l'aventure. Nous avons un nom pour définir notre pulsion à partir sur les grands chemins : nous disons que nous sommes *patiperros,* « pattes de chiens », parce que nous errons comme des chiens flairant une trace, sans but précis. Nous avons besoin de nous échapper, mais dès que nous traversons la cordillère des Andes nous commençons à le regretter et finissons toujours par revenir. Nous sommes de bons voyageurs et de très mauvais émigrants : la nostalgie nous talonne.

*

La famille et la vie de Willie étaient chaotiques, mais au lieu de partir en courant, comme l'aurait fait une personne raisonnable, j'ai attaqué « de front et à la chilienne », comme le cri de guerre de ces soldats qui prirent le promontoire d'Arica au XIXe siècle. J'étais décidée à conquérir ma place en Californie et dans le cœur de cet homme, quoi qu'il m'en coûtât. Aux Etats-Unis tous, sauf les Indiens, descendent de ceux qui arrivèrent de l'extérieur ; mon cas n'a rien de spécial. Le XXe siècle fut celui des immigrés et réfugiés ; jamais auparavant le monde n'avait vu de telles masses humaines abandonner leur lieu d'origine pour se déplacer vers d'autres lieux, fuyant la violence et la pauvreté. Ma famille et moi faisons partie de cette diaspora ; ce n'est pas aussi affreux que ça en a l'air. Je savais que je ne m'assimilerais pas complètement, j'étais bien vieille pour me fondre dans le fameux creuset yankee : j'ai l'aspect d'une Chilienne ; je rêve, je cuisine, je fais l'amour et j'écris en espagnol ; la plupart de mes livres ont une irrémédiable saveur latino-américaine. J'étais convaincue que jamais je ne me sentirais californienne, mais je ne le prétendais pas non plus, j'aspirais tout au plus à obtenir un permis de conduire et à apprendre suffisamment d'anglais pour demander un plat dans un restaurant. Je ne me doutais pas que j'obtiendrais beaucoup plus.

Il m'a fallu plusieurs années pour m'adapter à la Californie, mais ce fut une expérience divertissante. Ecrire un livre sur la vie de Willie, *Le Plan infini*, m'a beaucoup aidée, car cela m'a obligée à la parcourir et à étudier son histoire. Je me souviens combien, au début, j'étais choquée par la manière directe de parler des *gringos*, mais je me suis finalement rendu compte qu'en réalité la majorité est respectueuse et courtoise. Je n'en revenais pas de voir à quel point ils étaient hédonistes, jusqu'à ce que l'ambiance me contamine et que je finisse par me tremper dans un jacuzzi, entourée de bougie parfumées, tandis que mon grand-père se retournait dans sa tombe devant ces dévergondages. Je me suis tellement intégrée à la culture californienne que je pratique la méditation et suis une psychothérapie, bien que je passe mon temps à tricher : pendant la méditation j'invente des histoires pour ne pas m'ennuyer, et pendant les séances de psychothérapie j'en invente d'autres pour ne pas ennuyer le psychologue. Je me suis accommodée au rythme de ce lieu extraordinaire, j'y ai mes endroits de prédilection où je perds mon temps à feuilleter des livres, à me promener et à parler avec des amis ; j'aime mes habitudes, les saisons de l'année, les grands chênes autour de ma maison, le parfum de ma tasse de thé, la longue plainte nocturne de la sirène qui avertit les bateaux de la baie qu'il y a de la brume. J'attends avec impatience la dinde de *Thanksgiving* et la splendeur *kitsch* de Noël. Je participe même au pique-nique obligatoire du 4 juillet. A propos, ce pique-nique est organisé de façon très efficace, comme tout le reste dans ces parages : on conduit très vite, on s'installe à l'endroit préalablement réservé, on pose les paniers, on avale la nourriture, on tape dans le ballon et on rentre en courant pour éviter la circulation. Au Chili, on consacrerait trois jours à un tel projet.

La notion du temps des Américains est très spéciale : ils n'ont pas de patience ; tout doit aller vite, y compris le repas et le sexe, que le reste du monde traite avec cérémonie. Les *gringos* ont inventé deux termes qui n'ont pas de traduction : *snack* et *quickie*, pour désigner le repas debout et l'amour à toute allure... et souvent aussi debout. Les livres les plus populaires sont les manuels : comment devenir millionnaire en dix leçons faciles, comment perdre sept kilos en une semaine, comment surmonter son divorce, etc. Les gens passent leur temps à chercher des expédients et à fuir ce qu'ils considèrent comme désagréables : la laideur, la vieillesse, l'embonpoint, la maladie, la pauvreté et l'échec sous toutes ses formes.

La fascination de ce peuple pour la violence ne cessera jamais de me scandaliser. On pourrait dire que j'ai vécu dans des circonstances intéressantes : j'ai vu des révolutions, la guerre et le crime urbain, sans parler des brutalités du coup d'Etat militaire au Chili. A Caracas, des voleurs sont entrés dix-sept fois chez nous ; ils nous ont presque tout volé, depuis un ouvre-boîte jusqu'à trois voitures, deux dans la rue et la troisième après avoir complètement arraché la porte du garage. Encore heureux qu'aucun de ces assaillants n'ait eu de mauvaises intentions ; une fois, ils nous ont même laissé un mot de remerciement collé sur la porte du frigo. Comparé à d'autres endroits de la terre, où un enfant peut marcher sur une mine en allant à l'école et perdre ses deux jambes, les Etats-Unis sont aussi sûrs qu'un couvent, mais la culture est portée à la violence. Pour preuve les sports, les jeux, l'art, sans parler du cinéma, absolument terrifiant. Les Américains ne veulent pas de violence dans leur vie, mais ils ont besoin de l'expérimenter par ricochet. Ils adorent la guerre, du moment qu'elle ne se passe pas chez eux.

Le racisme, en revanche, ne m'a pas choquée – bien que d'après Willie ce soit le problème le plus grave du pays –, parce que pendant quarante-cinq ans j'avais supporté le système de classes en Amérique latine, où les pauvres et la population métisse, africaine ou indigène, vivent inexorablement à part, comme la chose la plus naturelle au monde. Au moins, aux Etats-Unis, la conscience du conflit existe-t-elle et la plupart des Américains luttent-ils contre le racisme.

Quand Willie visite le Chili, il est un objet de curiosité pour mes amis et pour les enfants dans la rue, à cause de son indéniable allure d'étranger, qu'il accentue avec un chapeau australien et des bottes de cow-boy. Il aime mon pays, il trouve qu'il est comme la Californie il y a quarante ans, mais il s'y sent étranger, comme moi aux Etats-Unis. Je comprends la langue, mais n'en possède pas les codes. Lorsque nous retrouvons des amis, je participe peu à la conversation, car je ne connais pas les événements ou les gens dont ils parlent, je n'ai pas vu les mêmes films dans ma jeunesse, je n'ai pas dansé au son de la guitare épileptique d'Elvis, je n'ai pas fumé de marijuana ni ne suis allée protester contre la guerre au Viêt-nam. Je ne me tiens pas informée des intrigues politiques, car je vois peu de différence entre démocrates et républicains. Je suis à ce point étrangère que je n'ai même pas participé à la fascination nationale causée par le scandale amoureux du président Clinton, car après avoir vu quatorze fois les petites culottes de mademoiselle Lewinsky à la télévision, je me suis désintéressée de l'affaire. Même le base-ball est pour moi un mystère ; je ne comprends pas une telle passion pour un groupe de types balèzes attendant une balle qui n'arrive jamais. Je n'entre dans aucune case sociale : je m'habille de soie alors que le reste de la population porte des chaussures de sport, et je demande un bifteck quand les autres suivent la mode du tofu et du thé vert.

Ce que j'apprécie le plus dans ma condition d'immigrée, c'est l'extraordinaire sensation de liberté. Je viens d'une culture traditionnelle, d'une société fermée où chacun de nous porte depuis sa naissance le karma de ses ancêtres, et où nous nous sentons constamment observés, jugés, surveillés. L'honneur taché ne peut être lavé. Un enfant qui vole des crayons de couleur à la crèche reste stigmatisé en tant que voleur pour le restant de ses jours; aux Etats-Unis au contraire, le passé importe peu, personne ne vous demande votre nom, le fils d'un assassin peut devenir président... pourvu qu'il soit blanc. On peut commettre des erreurs, car des tas de nouvelles occasions se présentent, il suffit de partir dans un autre Etat et de changer de nom pour recommencer sa vie; les espaces sont si vastes que les chemins ne finissent jamais.

Au début Willie, condamné à vivre avec moi, se sentait aussi mal à l'aise avec mes idées et mes coutumes chiliennes que moi avec les siennes. Il y avait des problèmes importants, comme ma tentative d'imposer mes normes de convivialité désuètes à ses enfants, et sa totale ignorance de ce qu'est le romantisme; et des problèmes mineurs, comme mon incapacité d'utiliser les appareils électroménagers et ses ronflements; mais peu à peu nous les avons surmontés. C'est peut-être à cela et rien d'autre que tient un mariage : à une certaine souplesse. En tant qu'immigrée, j'ai essayé de préserver les vertus chiliennes que j'apprécie et de renoncer aux préjugés qui m'enfermaient dans une camisole de force. J'ai accepté ce pays. Pour aimer un endroit, il faut participer à la communauté et rendre quelque chose pour tout ce que l'on reçoit ; je crois l'avoir fait. Il y a beaucoup de choses que j'admire aux Etats-Unis, et d'autres que je souhaite changer, mais n'en est-il pas toujours ainsi ? Un pays, de même qu'un mari, est toujours susceptible d'être amélioré.

*

Une année après mon arrivée en Californie, en 1988, la situation changea au Chili : Pinochet perdit le plébiscite et le pays se prépara à restaurer la démocratie. Alors j'y suis retournée. J'y suis allée avec crainte, car je ne savais pas ce que j'allais trouver, et je n'ai presque pas reconnu Santiago, ni les gens : tout avait changé au cours de ces années. La ville était pleine de jardins et d'immeubles modernes, envahie par la circulation et le commerce, dynamique, accélérée, progressiste ; mais il restait des relents de féodalité, comme les bonnes en tablier bleu promenant des vieillards dans les hauts quartiers, et des mendiants à chaque feu rouge. Les Chiliens agissaient avec prudence, respectaient les hiérarchies et s'habillaient de façon très conservatrice, les hommes en cravate, les femmes en jupe et, dans de nombreux bureaux du gouvernement et des entreprises privées, les employés portaient des uniformes, comme les stewards. Je me suis aperçue qu'un grand nombre de ceux qui sont restés au Chili et qui ont mal vécu considèrent ceux qui sont partis comme des traîtres, car ils pensent qu'à l'extérieur la vie était plus facile. D'autre part, il ne manque pas d'exilés qui accusent ceux qui sont restés dans le pays d'avoir collaboré avec la dictature.

Le candidat de la Concertation, Patricio Aylwin, avait gagné par une faible majorité, la présence des militaires était toujours écrasante et les gens avaient peur. La presse restait censurée ; les journalistes qui m'interviewèrent, habitués à la prudence, me posaient des questions prudentes et naïves, dont ensuite ils ne publiaient pas les réponses. La dictature avait tout fait pour effacer l'histoire récente et le nom de Salvador Allende. En revenant en avion et en voyant la baie de San Francisco depuis les airs, je soupirai de fatigue et dis sans y penser : Enfin j'arrive chez moi. C'était la première fois depuis que j'avais quitté le Chili en 1975 que je me considérais « chez moi ».

Je ne sais pas si chez moi est l'endroit où je vis, ou si c'est simplement Willie. Nous sommes ensemble depuis plus de quinze ans et j'ai l'impression qu'il est le seul territoire auquel j'appartienne, où je ne sois pas étrangère. Ensemble nous avons survécu à bien des vicissitudes, à de grands succès comme à de grandes pertes. La douleur la plus profonde fut la tragédie de nos filles ; en l'espace d'un an Jennifer a succombé à une overdose et Paula à une étrange maladie génétique, la porphyrie, qui la plongea dans un long coma et finalement mit un terme à sa vie. Willie et moi sommes forts et têtus, nous avons mis du temps à admettre que nous avions le cœur brisé. Il nous fallut du temps et des soins pour enfin pouvoir nous étreindre et pleurer ensemble. Le deuil fut un long voyage en enfer, dont je suis sortie grâce à lui et grâce à l'écriture.

En 1994, je suis retournée au Chili en quête d'inspiration, et depuis je l'ai fait chaque année. J'ai trouvé mes compatriotes plus détendus et la démocratie plus ferme, mais conditionnée par la présence des militaires, encore puissants, et des sénateurs à vie désignés par Pinochet pour contrôler le Congrès. Le gouvernement maintenait un difficile équilibre entre les différentes forces politiques et sociales. Je suis allée dans les villages où, autrefois, les gens luttaient et s'organisaient. Les curés et les religieuses progressistes, qui avaient vécu parmi les pauvres pendant ces années, m'ont raconté que la misère était la même, mais que la solidarité avait disparu et qu'aujourd'hui l'alcoolisme, la violence domestique et le chômage s'ajoutaient au crime et à la drogue, qui était devenue le problème le plus grave chez les jeunes.

La consigne chez les Chiliens était d'étouffer les voix du passé, de travailler pour l'avenir et de ne provoquer les militaires sous aucun prétexte. En comparaison avec le reste de l'Amérique latine, le Chili vivait une bonne période de stabilité politique et économique – même s'il y avait encore cinq millions de pauvres. Hormis les victimes de la répression, leurs familles et quelques organisations qui veillaient aux droits de l'homme, personne ne prononçait tout haut les mots « disparus » ou « torture ». La situation a changé lorsque Pinochet fut arrêté à Londres – il était allé passer un examen médical et récupérer sa commission sur une vente d'armes –, accusé de l'assassinat de citoyens espagnols par un juge, qui demanda son extradition en Espagne. Le général, qui bénéficiait encore du soutien inconditionnel des Forces armées, avait vécu vingt-cinq ans isolé par les flatteurs qui entourent toujours le pouvoir, et il était parti, confiant en son impunité, bien qu'on l'eût averti des risques. La surprise qui fut la sienne lorsque les Britanniques l'arrêtèrent n'eut d'égale que celle des Chiliens, accoutumés à l'idée qu'il était intouchable. Je me trouvais par hasard à Santiago lorsque cet événement a eu lieu, et en une semaine j'ai pu voir s'ouvrir une boîte de Pandore et commencer à émerger ce qui était resté caché si longtemps sous des couches et des couches de silence. Les premiers jours, il y eut des manifestations de rue furibondes de la part des partisans de Pinochet, qui menaçaient rien de moins que de déclarer la guerre à l'Angleterre ou d'envoyer un commando militaire pour libérer le prisonnier. La presse du pays, effrayée, parlait de l'affront infligé à l'Excellentissime Sénateur à vie ainsi qu'à l'honneur et à la souveraineté de la patrie ; mais une semaine plus tard les manifestations de rue en sa faveur étaient minimes, les militaires restaient muets et le ton avait changé dans les médias, qui parlaient à présent de « l'ancien dictateur arrêté à Londres ». Personne ne crut que les Anglais rendraient Pinochet afin qu'il fût jugé en Espagne – comme ce fut effectivement le cas –, mais la peur qui flottait encore dans l'air diminua rapidement. En quelques jours les militaires perdirent leur prestige et leur pouvoir. L'accord tacite de taire la vérité prit fin grâce à la démarche de ce juge espagnol.

Au cours de ce voyage j'ai parcouru le Sud, je me suis à nouveau abandonnée à la prodigieuse nature de mon pays et j'ai retrouvé mes fidèles amis, dont je suis plus proche que de mes frères, car au Chili l'amitié est pour toujours. Je suis revenue en Californie avec des énergies renouvelées, prête à travailler. Je me suis donné un sujet le plus éloigné possible de la mort et j'ai écrit *Aphrodite*, quelques divagations sur la gourmandise et la luxure, les seuls péchés capitaux qui en vaillent la peine. J'ai acheté un tas de livres de cuisine, autant sur l'érotisme, et je suis partie en excursion dans le quartier gay de San Francisco, où pendant des semaines j'ai parcouru les boutiques de pornographie. (Une enquête comme celle-ci eût été difficile au Chili. Au cas où le matériel existe, je n'aurais jamais osé l'acheter, car j'aurais mis l'honneur de ma famille en jeu.) J'ai beaucoup appris. Il est bien dommage que j'aie acquis ces connaissances si tard dans ma vie, alors que je n'ai plus personne avec qui pratiquer : Willie a déclaré qu'il n'avait aucune intention d'accrocher un trapèze au plafond.

Ce livre m'a aidée à sortir de la dépression dans laquelle m'avait plongée la mort de ma fille. Depuis, j'ai écrit un livre par an. La vérité, c'est que ce ne sont pas les idées qui me manquent, mais le temps. En pensant au Chili et à la Californie, j'ai écrit *Fille du destin*, puis *Portrait sépia*, livres dans lesquels les personnages vont et viennent entre mes deux patries.

*

Pour conclure, je voudrais ajouter que les Etats-Unis m'ont fort bien traitée, qu'ils m'ont permis d'être moi-même ou toute autre version de moi-même que j'ai envie d'inventer. Le monde entier passe à San Francisco, chacun avec son chargement de souvenirs et d'espoirs ; cette ville est pleine d'étrangers, je n'y suis pas une exception. Dans les rues on entend mille langues, on dresse des temples de toutes appellations, on sent les odeurs de cuisine des contrées les plus lointaines. Peu naissent ici, la majorité sont des étrangers au paradis, comme moi. Personne ne prête attention à ce que je suis ou ce que je fais, personne ne m'observe ni ne me juge, on me laisse en paix ; la contrepartie, c'est que si je tombe morte dans la rue personne ne le voit, mais enfin, c'est un prix peu élevé à payer pour la liberté. Celui que je devrais payer au Chili serait très cher, car les différences y sont toujours aussi peu appréciées. En Californie, la seule chose qu'on ne tolère pas, c'est l'intolérance.

La réflexion de mon petit-fils Alejandro sur les trois années qu'il me reste à vivre m'oblige à me demander si je désire les vivre aux Etats-Unis ou retourner au Chili. Je ne sais pas. Franchement, je doute que j'abandonne ma maison. Je vais au Chili une ou deux fois par an et lorsque j'arrive beaucoup de gens semblent heureux de me voir, mais je crois qu'ils sont encore plus contents quand je m'en vais, y compris ma mère, qui vit dans la crainte que sa fille ne commette un impair, comme par exemple apparaître à la télévision pour parler de l'avortement. Je me sens heureuse pendant quelques jours, mais au bout de deux ou trois semaines, le tofu et le thé vert commencent à me manquer.

Ce livre m'a aidée à comprendre que je ne suis pas obligée de prendre une décision : je peux avoir un pied là-bas et l'autre ici, c'est à cela que servent les avions, et je ne suis pas de ceux qui refusent de prendre l'avion par peur du terrorisme. J'ai une attitude fataliste : personne ne meurt une minute avant ou après son heure. Pour le moment, la Californie est mon foyer et le Chili le territoire de ma nostalgie. Mon cœur n'est pas divisé, il a grandi. Je peux vivre et écrire à peu près n'importe où. Chaque livre contribue à compléter ce « village dans ma tête », comme l'appellent mes petits-enfants. Par le lent exercice de l'écriture, je me suis battue avec mes démons et mes obsessions, j'ai exploré les recoins de ma mémoire, j'ai sauvé des histoires et des personnages de l'oubli, j'ai volé des vies étrangères et, avec toute cette matière première, j'ai construit un lieu que je nomme ma patrie. C'est de là que je suis.

J'espère que cette longue diatribe répond à la question de cet inconnu sur la nostalgie. Ne croyez pas tout ce que je dis, j'ai tendance à exagérer et, comme je vous en ai averti au début, il m'est impossible d'être objective lorsqu'il s'agit du Chili ; disons plus exactement qu'il ne m'est presque jamais possible d'être objective. En tout cas, le plus important de mon voyage en ce monde n'apparaît pas dans ma biographie ou dans mes livres, cela s'est passé de façon quasi imperceptible dans les chambres secrètes de mon cœur. Je suis écrivain parce que je suis née avec une bonne oreille pour les histoires, et que j'ai eu la chance d'avoir une famille excentrique et un destin de voyageuse vagabonde. Le travail de la littérature m'a définie : mot à mot j'ai créé la personne que je suis et le pays inventé où je vis.

REMERCIEMENTS

Mes souvenirs forment la base de ce livre, mais les commentaires de mes amis m'ont aidée : Delia Vergara, Malú Sierra, Vittorio Cintolessi, Josefina Rosetti, Agustín Huneeus, Cristián Toloza et d'autres. Je me suis également servie sans ménagements des ouvrages de Alonso de Ercilla y Zúñiga, Eduardo Blanco Amor, Benjamín Subercaseaux, Leopoldo Castedo, Pablo Neruda, Alfredo Jocelyn-Holt, Jorge Larraín, Luis Alejandro Salinas, María Luisa Cordero, Pablo Huneeus et plusieurs autres. Je remercie, comme toujours, ma mère, Francisca Llona, et mon beau-père, Ramón Huidobro, pour m'avoir aidée à retrouver certains faits et avoir corrigé le texte définitif. Également mes fidèles agents, Carmen Balcells et Gloria Guttiérrez, mon correcteur espagnol, Jorge Manzanilla, et mon éditrice américaine, Terry Karten.

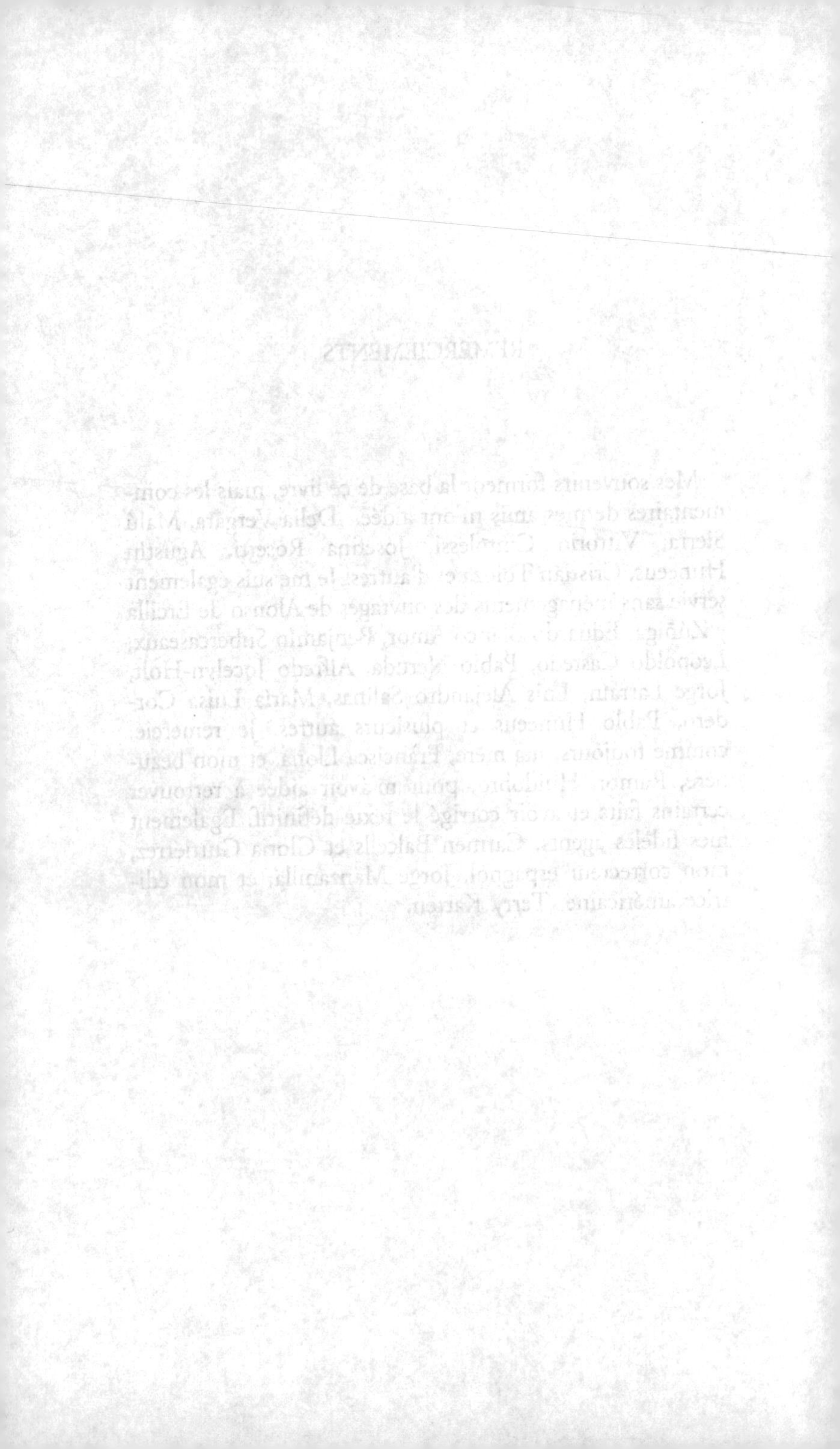

TABLE

La composition de cet ouvrage a été réalisée
par Firmin-Didot

Cet ouvrage a été imprimé par

FIRMIN DIDOT

GROUPE CPI

Mesnil-sur-l'Estrée

pour le compte des Éditions Grasset
en août 2003

Imprimé en France
Dépôt légal : août 2003
N° d'édition : 12907 – N° d'impression : 64256
ISBN : 2-246-65441-6